NHK出版　音声DL BOOK

越前敏弥の英文解釈講義

『クリスマス・キャロル』を
精読して上級をめざす

NHK出版

はじめに

この本は、基本的な英文法をだいたい習得した人に、ワンランク上の読解力を身につけてもらうためのものです。英語が比較的得意な高校生や高卒生、大学受験レベルより少しむずかしい程度の文章に取り組みたい意欲的な大学生や社会人、文学作品を楽しみながら語学力を高めたい中上級学習者、そして翻訳を勉強中の人などを対象にしています。

文学作品を題材にした学習書を作りたいという思いは、何年も前からありましたが、どういう形に仕上げればよいか、なかなかイメージが浮かびませんでした。その後、2020年にチャールズ・ディケンズの『クリスマス・キャロル』を翻訳する機会があり、この作品を使えばおもしろくて役に立つ新趣向の学習書ができるのではないかとひらめいたのです。コロンとセミコロンとカンマの使い分け、ダブルミーニング、視点の考え方、描出話法、押韻、連鎖関係詞節など、大学受験までの英文法ではあまり扱わない項目にも言及でき、文学作品特有の婉曲な表現や反語的な言いまわし、さらには文化的背景などもくわしく解説すれば、土台のしっかりした読解力を築きあげることにつながるからです。

準備にあたっては、翻訳学習者・大学生・高校生の３つのグループといっしょにオンライン勉強会をおこない、全員に訳文を提出してもらって、それぞれの弱点の洗い出しにつとめました。それらは本文の解説部分にも、本書に登場する３人の生徒たちとのやりとりにも反映されています。

語学力であれ、翻訳技術であれ、大きく向上させるための近道のひとつは、すぐれた文章に接してそれを隅々まで熟読することです。『クリスマス・キャロル』は200年近くにわたって全世界で読まれつづけていますが、それには確たる理由があることがわかるでしょう。３人の生徒といっしょに10回の勉強会に本気で参加してもらうことで、みなさんの英文読解力が一段と進化するきっかけになると信じています。

『クリスマス・キャロル』勉強会にようこそ！

越前敏弥

目次

この本の構成と使い方

◆この本は、『クリスマス・キャロル』の原文から10か所を選んで、注釈・全訳・解説をつけ、架空の生徒3人（翻訳学習者・大学生・高校生）とのやりとりやこぼれ話を付したものです。19世紀の中ごろに書かれた英文なので、いまではあまり使われない表現がごく一部にありますが、現代の英語と大きく変わることはありません。

◆最初にあらすじを載せます。まずこれを読んで、話の流れをつかんでください。『クリスマス・キャロル』の話を細かいところまで覚えている人は、読み飛ばしてもかまいません。

◆つぎに、翻訳学習者やある程度英文読解に自信がある人は、20ページから並んでいる注釈なしの英文を見て、全文を日本語訳してください。辞書やネット検索をどんどん活用してかまいません。訳し終わったら、それぞれの回の解説のページへ進んでください。設問や注釈を見て、その回のポイントを確認したうえで、解説講義・より深く読むための勉強会・こぼれ話のページを読んでください。

◆英文読解にまだ不安がある人や、注釈なしで取り組んでみて歯が立たないと感じた人は、すぐに42ページからの注釈・設問つき英文へ進んでください。その場合もできれば全文訳を作ったほうがいいのですが、不明個所がかなり多いときは設問に答えるだけでもかまいません。

◆第1講から第10講まで、ゆっくり時間をかけて取り組んでください。

音声について

◆ **音声ダウンロードについて**

講義で扱う英文の音声を聞くことができます。「🔈02」などの数字はトラックナンバー（頭出し番号）を表します。

◆ **NHK出版サイトからダウンロードできます。**

まずはこちらへアクセス！

https://nhktext.jp/db-english

QRコードは株式会社デンソーウェーブの登録商標です

※NHK出版サイトで該当書名を検索して探すこともできます。

本書音声のパスコード　pys48xgg

◆ **パソコン・スマホのどちらでもダウンロード可能！**

・スマホやタブレットでは、NHK出版が提供する無料の音声再生アプリ「**語学プレーヤー**」をご利用ください。

・パソコンでは、mp3形式の音声ファイルをzipファイルの形で提供します。

・複数の端末にダウンロードしてご利用いただくことができます。

・一度パスワード登録したコンテンツはサイトから再ダウンロードできます。

※ NHK出版サイトの会員登録が必要です。詳しいご利用方法やご利用規約は、上記webサイトをご覧ください。

※ ご提供方法やサービス内容、ご利用可能期間は変更する場合がございます。あらかじめご了承ください。

お問い合わせ窓口

NHK出版デジタルサポートセンター

0570-008-559（直通：03-3534-2356）

10:00〜17:30（年末年始を除く）

※ダウンロードやアプリご利用方法など、購入後のお取扱いに関するサポートを承ります。

『クリスマス・キャロル』のあらすじ

英文の理解を深めるために、まずは作品全体を概観してみましょう。

★クリスマス・キャロル

1843年、チャールズ・ディケンズが31歳のときに発表した作品。くわしくは62ページ**『クリスマス・キャロル』こぼれ話1**参照。

★おもな登場人物

エベニーザー・スクルージ
ロンドンで〈スクルージ＆マーリー商会〉を営む。強欲で金儲けひと筋、冷酷な人物として知られる。

ジェイコブ・マーリー
スクルージの共同経営者であり唯一の友人。7年前に他界したはずだが、なぜかスクルージの前に現れ……。

フレッド
スクルージの甥。快活であたたかな人柄。

ボブ・クラチット
スクルージのもとで働く事務員。安月給で、妻とたくさんの子供を養っている。

第1の精霊
スクルージの前に現れ、「過去のクリスマスの霊」だと名乗る。

第2の精霊
スクルージの前に現れ、「現在のクリスマスの霊」と名乗る。

第3の精霊
最後にスクルージのもとを訪ねてくる、沈黙の精霊。

★著者

チャールズ・ディケンズ (1812-1870)
Charles Dickens

イギリスのヴィクトリア朝時代を代表する小説家。新聞記者として活動するかたわら小説を書きはじめる。下層階級に生きる人たちを生き生きと描いた作品を多く世に出し、イギリスの国民作家とも称される。『クリスマス・キャロル』のほか、代表作に『オリヴァー・トゥイスト』『デイヴィッド・コパフィールド』『荒涼館』『二都物語』『大いなる遺産』などがある。

ロンドンで〈スクルージ＆マーリー商会〉を営むエベニーザー・スクルージは、人付き合いを好まず、金を貯めこむだけで使いもしない強欲な老人だった。内側の冷たさがにじみ出たように髪もひげも白く、きしんだ声で発するのは意地悪なことばばかりだった。

クリスマスの前日にも、スクルージは仕事の手を休めない。スクルージにとって、よい思い出もなく金も増えないクリスマスは忌むべきものでしかなかった。

甥のフレッドが事務所に来て「メリー・クリスマス」とお祝いを言ったときも、くだらないと言い返してまともに取り合おうとしなかった。フレッドがクリスマスのすばらしさを語り、家でいっしょに過ごそうと提案しても、スクルージはよけいなお世話とばかりの対応をしてフレッドを追い返した。

その後、ふたりの紳士が来て貧しい人々への寄付を募ったが、スクルージは不快そうにはねつけた。監獄や救貧院はないのかと言い、生活に困っているなら施設に行けばいいし、行きたくないなら死んでくれたほうが余分な人口が減ってけっこうだとまで言いきった。ふたりの紳士はあきらめて帰っていった。

事務所には、スクルージのほかにもうひとり、ボブ・クラチットという事務員がいて、妻とたくさんの子を養うため、安い給料で懸命に働いていた。それでも、スクルージの接し方は冷たく、どんなに寒い日であっても石炭ひとつまともに使わせなかった。翌日のクリスマスの日には給料つきの休暇をしぶしぶ認めたが、帰りがけに嫌味を言うのを忘れなかった。

帰宅したスクルージが玄関のドアをあけようとすると、ノッカーがかつての共同経営者ジェイコブ・マーリーの顔になっていた。マーリーはスクルージのただひとりの友でもあったが、7年前に死んでいた。スクルージみずから葬式を手配したので、マーリーが死んだのはまちがいなかった。

スクルージはこの出来事に驚き、落ち着かない気分になったが、かまわずに寝る支度をはじめた。しかし、突然ベルの音が鳴りだして、いったんやんだものの、地下から少しずつ近づく足音が響き、やがてマーリーの幽霊が姿を現した。最初は半信半疑に思っていたスクルージも、会話をするうちに幽霊が本物だと認めた。

マーリーが来たのはスクルージに忠告するためだった。生きていたころ、マーリーは金儲けにかまけて人間としてすべきおこないを軽んじていたため、死んだあとになってさまざまな苦行を負わされていた。スクルージも同様の罪を背負っているが、まだマーリーと同じ死後の運命から逃れる希望はあり、そのために3人の精霊の訪問を受けるよう、マーリーはスクルージに言い聞かせた。ひとり目の精霊は翌日の夜1時、ふたり目はその翌日の同じ時刻、3人目はそのまた翌日の12時に現れる。そう告げると、マーリーは窓から出ていき、集まったほかの幽霊たちとともに、悲しげな様子で霧にまぎれて消えていった。

スクルージは目の前で起こった不思議な出来事に動揺しながらも、夜も遅く疲れきっていたので、すぐにベッドにはいって眠ってしまった。

スクルージはそのまままる1日眠っていたらしく、目を覚ましたときには夜の12時になっていた。マーリーの幽霊が言っていたことがほんとうなのかをたしかめるため、そのまま1時の鐘が鳴るのを待った。

その時刻になると、まばゆい光がひらめき、ベッドの天蓋（てんがい）のカーテンが開いて、精霊の姿が見えた。子供とも老人とも思える奇妙な姿で、頭から光があふれ、小脇には帽子として使う巨大な蝋燭消しをかかえていた。精霊は、スクルージを改心させるために来た「過去のクリスマスの霊」だと名乗った。そしてスクルージの腕をつかみ、有無を言わさず過去へ連れていった。

ふたりが立っていたのは雪に覆われた田舎道で、そこはかつてスクルージが少年時代を過ごした場所だった。

見知った顔の少年たちが笑い合い、楽しそうにしている姿が目にはいる。スクルージたちの姿は見えていないので、少年たちはそのまま横を通り過ぎ、メリー・クリスマスと言い合って、家へ帰っていった。

だが、スクルージ少年はひとりで学校に残っていた。陰気な部屋で本を読む少年時代の自分を見て、スクルージは涙を流した。精霊の力で、子供のころ読んだ物語の場面がつぎつぎと目の前に現れたときには興奮もしたが、それでも少年時代の自分を憐れまずにはいられなかった。

場面が変わり、スクルージ少年は成長していたが、またひとりだった。そこへ妹が笑顔で迎えにきて、うちに帰ってきてもだいじょうぶだからクリスマスをいっしょに過ごそうと言って兄に抱きついた。兄妹の仲は睦まじく、スクルージは妹を心から愛していた。しかし、妹は大人になって死んでしまった。妹には子供がひとりいて、それがフレッドだった。

あたりはにぎやかな街の景色に変わり、ふたりはスクルージが見習い時代を過ごした店の前に立っていた。

その日はクリスマス・イブで、店主のフェジウィッグみずからが取り仕切り、若きスクルージともうひとりの見習いで舞踏会の準備を進めていた。店にはおおぜいの人が来て、みんなが踊り、ごちそうを食べて楽しんでいた。フェジウィッグ夫妻はふたりでみごとな踊りを披露して、その場を大いに盛りあげた。舞踏会が終わったあとも、夫妻はお客のひとりひとりと握手を交わして挨拶(あいさつ)し、見習いのスクルージたちにも同じように挨拶をしてくれた。

その場面を見たスクルージは、店主の態度が見習いを幸せにも不幸せにもするということを思い出し、同時にボブ・クラチットのことを思い出していた。

さらに時が進み、働き盛りのころのスクルージが目の前に現れた。このときにはもう、気苦労と強欲のしるしが表情に出はじめていた。

若きスクルージの隣には美しい娘がいて、別れ話を切り出していた。娘は、貧しい自分と結婚してもスクルージはきっと後悔するだろうから、そうなる前に、以前交わした結婚の約束を解消したいと考えていた。かつて、ふたりは貧しくとも心が満たされていたが、しだいにスクルージが金銭欲に支配されていき、心が離れていった。

娘が去り、その過去を追体験させられたスクルージは、もう見たくないと言って精霊に泣きついたが、精霊はさらに別の場面をスクルージに見せた。

あのとき去っていった娘が母親となり、たくさんの子供たちに囲まれていた。そのなかには、母親そっくりの美しい娘もいる。スクルージは、その娘からお父さんと呼ばれている男をうらやましく思った。その父親は、このクリスマスの日に事務所でひとりですわっているスクルージの姿を見かけたと言い、ほんとうに天涯孤独なのだろうと妻に話していた。

耐えられなくなったスクルージは、家に帰してくれと精霊につかみかかって懇願した。精霊の頭から噴き出す光を見て、そこに力の秘密があると考えたスクルージは、蝋燭消しの帽子を奪いとって精霊の頭に押しかぶせた。すると、精霊の姿は蝋燭消しの下に隠れて見えなくなり、スクルージはいつの間にか自分の寝室にもどっていた。疲れ果ててベッドに倒れこむと、そのまま深い眠りに落ちていった。

目を覚ましたスクルージは、まもなくつぎの精霊が来る時刻だと理解した。そしてベッドに光が差しこんできた。光をたどって隣の部屋へ行くと、部屋の様子が一変していて、そこに第2の精霊である巨人がいた。

巨人の精霊は「現在のクリスマスの霊」と名乗った。過去を見たことで教訓を得たスクルージは、こんどはみずから精霊に頼んで、教えを乞うことにした。精霊はスクルージをクリスマスで活気あふれる朝の街路に連れていった。

ふたりは事務員のボブ・クラチットの家に向かった。家のなかでは、クラチット夫人と子供たちがクリスマスの準備をしていた。そこへ、教会に出かけていたボブとティム坊やが帰ってきた。ティム坊やは脚が不自由だったが、信心深く思いやりのある子供で、ボブはとてもかわいがっていた。けれども、ボブはティム坊やがいつか奪い去られてしまうと恐れているようだった。

スクルージは精霊に、ティム坊やは長生きできるのかと尋ねた。精霊は、このまま何も変わらないのなら坊やは死んでしまうと言いきった。それを聞いたスクルージは愕然としたが、精霊は、余分な人口が減ってけっこうではないかと、以前のスクルージのことばを引用して反論する。そして、人の心があるのなら意地の悪い説教などするべきでない、人の命の価値を決めてはならないとスクルージを諭した。

一家がクリスマスのごちそうを食べ、団欒を楽しむさなか、ボブは「宴の出資者」のスクルージに乾杯をした。クラチット夫人はスクルージをよく思っていなくて、ここぞとばかりに不満を口にしたが、ボブにたしなめられて仕方なく乾杯した。子供たちもつづいて乾杯するが、気乗りしないようで、スクルージの名前が出たせいで場の空気も悪くなっていた。それでも、やがて明るさを取りもどし、子供たちは仕事の話をしたり歌をうたったりして、全員が楽しそうだった。

この一家は貧しく、見栄えするものもなかったが、みんな仲よく幸せそうで、感謝の気持ちを持ち、満ち足りた時間を過ごしていた。スクルージはその様子をじっと見つめ、中でもティム坊やからは最後まで目を離すことができずにいた。

精霊とスクルージは、そのあともさまざまなクリスマスを見にいった。街の様子はどこも楽しげで、精霊も大はしゃぎになって家々を祝福していた。ふたりは、鉱夫や灯台守や船乗りたちのもとへも行った。だれもがクリスマスを祝い、大切な人を思っていた。

スクルージは甥のフレッドの家にも連れていかれた。そこには多くの人が集まっていて、大笑いするフレッドにつられて、みんなが笑っていた。話題になっていたのは、スクルージの「クリスマスなんてくだらない」という発言だった。フレッドは笑いながらも、そういった言動で自分自身を苦しめていることに気づかない伯父はかわいそうな人で、責める気にはなれないと語った。クリスマスをいっしょに祝えば楽しく過ごせるのだから、たとえいやがられても毎年誘いつづけるつもりだとも考えていた。

音楽の時間がはじまり、かつて妹が好んでいた曲が演奏されるのを聴いて、スクルージの心はどんどんほぐれていった。この曲を幾度となく耳にしていれば、人間らしい親切な心が育ったかもしれないとスクルージは考えた。

人々がゲームに興じたときには、スクルージもひそかにクイズに参加して、一同には聞こえないにもかかわらず、大声で答を叫んでゲームを楽しんだ。

フレッドは最後に、話題となって場を盛りあげてくれたスクルージに乾杯をし、ほかの人々もそれにつづいた。スクルージははずんだ気分のまま、精霊に連れられてその場を去った。

ひと晩の出来事とは思えないほど、スクルージは多くのものを見て、さまざまな教訓を得た。精霊はクリスマスを祝う者には惜しみなく祝福を与え、人々を幸せにしていた。精霊の命は今夜かぎりのものだったので、その姿はだんだんと年老いていき、12時を前にしたときには髪も白くなっていた。

最後に、精霊は衣のひだのあいだに隠れていた子供たちをスクルージに見せた。みすぼらしくて、汚く、おぞましいほどに醜い子供だった。

男の子は〈無知〉で、女の子は〈欠乏〉だと精霊は説明し、このふたりと同類たちのすべてに用心せよと忠告した。男の子には額に〈破滅〉という文字があるから、いっそう注意が必要だという。

子供をかくまってくれるところはないのかと訊くスクルージに対し、精霊は、監獄はないのか、救貧院はないのか、と、かつてスクルージ自身が言ったことばで返した。そして、12時の鐘が鳴ると、現在のクリスマスの霊は姿を消した。

鐘が鳴り終わったとき、全身を長い衣で覆い、頭巾をかぶったおごそかな幻がやってくるのが見えた。

スクルージはこの精霊を「未来のクリスマスの霊」だと考えた。何も語らず、ただ行く先を手で指し示すだけの精霊にスクルージはおののいたが、精霊に付き従って進んでいった。

ふたりは街の中心部にある王立取引所にやってきた。スクルージには馴染みの場所で、顔見知りも多かった。スクルージ自身もよく訪れる場所だったので、あたりを見まわして未来の自分の姿を探したが、見つからなかった。

精霊の手が何人かの人たちを指していることに気づき、スクルージがその会話に耳を傾けると、前日に死んだある男の話をしているところだった。死んだ男の評判は好ましくなく、財産はあっても友人はいないようだった。別の集団からも同じような話が聞けたが、その死んだ男がだれなのかはわからなかった。

それからふたりは、スクルージが足を踏み入れたこともなかった陰気な界隈へとはいっていった。そこには、白髪頭の老人が種々雑多なものを買いとっている店があった。

スクルージたちが近づいていくと、3人の男女がおのおの姿を見られないようにこっそりと店の中へはいっていくのが見えた。3人は雑役婦、洗濯女、葬儀屋で、死者からくすねた品々を換金しようとこの店に来たのだった。生活用品から衣類まで、さまざまなものが金に換えられていっ

た。死体のシャツを剥ぎ、ベッドからカーテンと毛布を奪ってきた者まで
いた。

その死者は生前から人を寄せつけない人物だったらしく、3人の会話からも死者に対する畏敬の念はまったく感じられなかった。スクルージは、このまま自分が変わらなければ、いつかこの死者と同じ道をたどるのだと気づいた。

場面が突然変わり、スクルージは真っ暗な部屋にいた。窓の外から立ちのぼったかすかな光が、ベッドの上の布で覆われた亡骸を照らした。何もかもを失い、見守る人も、涙する人も、世話してくれる人もいない男の亡骸だった。その顔を、スクルージはどうしても見ることができなかった。しかし、精霊はまっすぐ死者の頭を指している。たまらなくなったスクルージは、この男の死によって心を動かされている人のもとへ連れていってくれと精霊に頼んだ。

精霊はそれを聞き入れ、スクルージをある家へ連れていった。そこでは、若い夫婦が借金について話し合っていた。夫のほうが、「あの人」が死んだおかげで金を工面する時間ができたと言い、夫婦とも後ろめたく感じながらも喜びを隠せずにいた。男の死によって引き起こされた唯一の感情は、喜びだった。

スクルージはつぎに、ボブ・クラチットの家へ連れていかれた。以前とちがって、家のなかはしんと静まり返っていた。ティム坊やの姿は見えず、家族のみんなは葬儀について話をしていた。ボブはスクルージの甥のフレッドに街で会ったと話し、フレッドがお悔やみを言って、とても親切に接してくれたことをありがたく感じたとみんなに伝えた。そして、ティム坊やのことをけっして忘れずに仲よく生きていこうと家族に説いた。

スクルージは精霊と別れる時刻が近いことを察し、ベッドで横たわっていたのがだれだったのか教えてくれと頼んだ。精霊はスクルージを墓地へ連れていき、ひとつの墓石を指し示した。スクルージは、これは

定められた未来か、それともただの可能性にすぎないのかと精霊に尋ねたが、答は得られなかった。しかたなく、恐怖に震えながら墓へ近づいて墓石を見た。そこには自分の名前が刻まれていた。

衝撃を受けたスクルージだったが、それでも、自分はもう心を入れ替えたと精霊に向かって言いきった。そして、クリスマスを大切にし、3人の精霊の導きで得られた教訓をけっして忘れはしないと誓った。運命を変えられますようにと祈ろうとしたとき、精霊の姿が変わりはじめ、ついにはベッドの柱になってしまった。

スクルージは自分の部屋にもどっていた。何も変わっていないし、ベッドのカーテンも剥ぎとられていない。スクルージは3人の精霊とマーリーに感謝し、今後の時間をこれまでの償いにあてて、未来の影を追い払うことにした。すると気が楽になって、笑いと涙が一気に襲ってきた。

窓をあけて、外にいた少年に声をかけると、きょうがクリスマスだとわかった。精霊たちと過ごした時間がたったひと晩の出来事だったと気づき、スクルージは驚いた。少年に駄賃をあげる約束をして、立派な七面鳥を買ってくるよう使いに出した。それをボブ・クラチットの家へ送ろうと考えたのだった。七面鳥が届いて代金を払うときも、少年に駄賃をやるときも、ずっと笑いが止まらなかった。

スクルージは身支度を整えて上機嫌に街に繰り出した。きのう寄付を募ろうと事務所にやってきたふたりの紳士に出会ったので、スクルージはみずから近づいていき、長らく支払っていなかったぶんもすべて含めて寄付をしたいと申し出た。

それから、教会へ行ったり、物乞いに声をかけたりと街を歩きまわったすえ、甥のフレッドの家に向かった。フレッドはスクルージを歓迎した。スクルージは精霊が見せてくれたのと同じように、ごちそうやゲームや団欒を楽しんで、幸せな時間を過ごした。

翌日、遅刻してきたボブに対して、スクルージは昇給してやると告げ、家族が苦しい思いをしないように援助したいとまで申し出た。おかげでティム坊やは生き長らえ、スクルージは第2の父親となった。

その後もスクルージは多くの善行に身を尽くし、類を見ないほどのよき人間となった。突然の変貌ぶりを笑う者がいても、それを気にしなかった。世の中に善が生まれるときにはさんざん笑い物にする人がいるものだと心得ていたからだ。

精霊たちは二度と現れなかった。いまのスクルージは、人々の語り草になるほどに、クリスマスの正しい祝い方をよく知っている。

この本で読み解く原文

翻訳学習者やハイレベルの読解力をつけたい人は、あらすじを読んだあと、ここにある英文の全文を日本語訳し、それから各回の講義のページへ進んでください。辞書を引いたり、ネットで検索したりは自由です。

ヒントなしでは歯が立たないと感じる人は、いきなり講義のページへ飛んで、設問や注釈を見ながら取り組んでかまいません。その場合も、できるかぎり自力で全文訳を作ってから解説を見てください。時間がない場合は設問に答えるだけでもいいです。

★原文は*The Annotated Christmas Carol*, edited by M. P. Hearn, W.W. Norton & Co. Inc.を中心に、いくつかの版を参照しました。

第1講

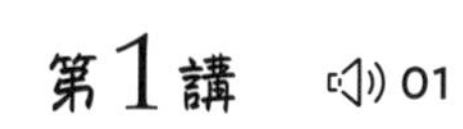

［作品の冒頭部分］

MARLEY was dead: to begin with. There is no doubt whatever about that. The register of his burial was signed by the clergyman, the clerk, the undertaker, and the chief mourner. Scrooge signed it: and Scrooge's name was good upon 'Change, for anything he chose to put his hand to. Old Marley was as dead as a door-nail.

Mind! I don't mean to say that I know, of my own knowledge, what there is particularly dead about a door-nail. I might have been inclined, myself, to regard a coffin-nail as the deadest piece of ironmongery in the trade. But the wisdom of our ancestors is in the simile; and my unhallowed hands shall not disturb it, or the Country's done for. You will therefore permit me to repeat, emphatically, that Marley was as dead as a door-nail.

Scrooge knew he was dead? Of course he did. How could it be otherwise? Scrooge and he were partners for I don't know how many years. Scrooge was his sole executor, his sole administrator, his sole assign, his sole residuary legatee, his sole friend, and sole mourner. And even Scrooge was not so dreadfully cut up by the sad event, but that he was an excellent man of business on the very day of the funeral, and solemnised it with an undoubted bargain.

The mention of Marley's funeral brings me back to the point I started from. There is no doubt that Marley was dead. This must be distinctly understood, or nothing wonderful can come of the story I am going to relate. If we were not perfectly convinced that Hamlet's Father died before the play began, there would be nothing more remarkable in his taking a stroll at night, in an easterly wind, upon his own ramparts, than there would be in any other middle-aged gentleman rashly turning out after dark in a breezy spot — say Saint Paul's Churchyard for instance — literally to astonish his son's weak mind.

Scrooge never painted out Old Marley's name. There it stood, years afterwards, above the warehouse door: Scrooge and Marley. The firm was known as Scrooge and Marley. Sometimes people new to the business called Scrooge Scrooge, and sometimes Marley, but he answered to both names. It was all the same to him.

第2講 02

［あらすじ 9ページ 1～12行］

The door of Scrooge's counting-house was open that he might keep his eye upon his clerk, who in a dismal little cell beyond, a sort of tank, was copying letters. Scrooge had a very small fire, but the clerk's fire was so very much smaller that it looked like one coal. But he couldn't replenish it, for Scrooge kept the coal-box in his own room; and so surely as the clerk came in with the shovel, the master predicted that it would be necessary for them to part. Wherefore the clerk put on his white comforter, and tried to warm himself at the candle; in which effort, not being a man of a strong imagination, he failed.

"A merry Christmas, uncle! God save you!" cried a cheerful voice. It was the voice of Scrooge's nephew, who came upon him so quickly that this was the first intimation he had of his approach.

"Bah!" said Scrooge, "Humbug!"

He had so heated himself with rapid walking in the fog and frost, this nephew of Scrooge's, that he was all in a glow; his face was ruddy and handsome; his eyes sparkled, and his breath smoked again.

"Christmas a humbug, uncle!" said Scrooge's

nephew. "You don't mean that, I am sure."

"I do," said Scrooge. "Merry Christmas! What right have you to be merry? What reason have you to be merry? You're poor enough."

"Come, then," returned the nephew gaily. "What right have you to be dismal? What reason have you to be morose? You're rich enough."

Scrooge having no better answer ready on the spur of the moment, said, "Bah!" again; and followed it up with "Humbug."

"Don't be cross, uncle," said the nephew.

"What else can I be," returned the uncle, "when I live in such a world of fools as this? Merry Christmas! Out upon merry Christmas! What's Christmas time to you but a time for paying bills without money; a time for finding yourself a year older, and not an hour richer; a time for balancing your books and having every item in 'em through a round dozen of months presented dead against you? If I could work my will," said Scrooge, indignantly, "every idiot who goes about with 'Merry Christmas' on his lips, should be boiled with his own pudding, and buried with a stake of holly through his heart. He should!"

第3講 ◁)) 03

［あらすじ 10ページ 2〜6行］

"How now!" said Scrooge, caustic and cold as ever. "What do you want with me?"

"Much!" — Marley's voice, no doubt about it.

"Who are you?"

"Ask me who I *was*."

"Who *were* you then?" said Scrooge, raising his voice. "You're particular — for a shade." He was going to say "*to* a shade," but substituted this, as more appropriate.

"In life I was your partner, Jacob Marley."

"Can you — can you sit down?" asked Scrooge, looking doubtfully at him.

"I can."

"Do it, then."

Scrooge asked the question, because he didn't know whether a ghost so transparent might find himself in a condition to take a chair; and felt that in the event of its being impossible, it might involve the necessity of an embarrassing explanation. But the ghost sat down on the opposite side of the fireplace, as if he were quite used to it.

"You don't believe in me," observed the Ghost.

"I don't," said Scrooge.

"What evidence would you have of my reality, beyond that of your senses?"

"I don't know," said Scrooge.

"Why do you doubt your senses?"

"Because," said Scrooge, "a little thing affects them. A slight disorder of the stomach makes them cheats. You may be an undigested bit of beef, a blot of mustard, a crumb of cheese, a fragment of an underdone potato. There's more of gravy than of grave about you, whatever you are!"

Scrooge was not much in the habit of cracking jokes, nor did he feel, in his heart, by any means waggish then. The truth is, that he tried to be smart, as a means of distracting his own attention, and keeping down his terror; for the spectre's voice disturbed the very marrow in his bones.

第4講 ◁)) 04

［あらすじ 10ページ 8〜14行］

"At this time of the rolling year," the spectre said, "I suffer most. Why did I walk through crowds of fellow-beings with my eyes turned down, and never raise them to that blessed Star which led the Wise Men to a poor abode? Were there no poor homes to which its light would have conducted *me*!"

Scrooge was very much dismayed to hear the spectre going on at this rate, and began to quake exceedingly.

"Hear me!" cried the Ghost. "My time is nearly gone."

"I will," said Scrooge. "But don't be hard upon me! Don't be flowery, Jacob! Pray!"

"How it is that I appear before you in a shape that you can see, I may not tell. I have sat invisible beside you many and many a day."

It was not an agreeable idea. Scrooge shivered, and wiped the perspiration from his brow.

"That is no light part of my penance," pursued the Ghost. "I am here to-night to warn you, that you have yet a chance and hope of escaping my fate. A chance and hope of my procuring, Ebenezer."

"You were always a good friend to me," said Scrooge. "Thank'ee!"

"You will be haunted," resumed the Ghost, "by Three Spirits."

Scrooge's countenance fell almost as low as the Ghost's had done.

"Is that the chance and hope you mentioned, Jacob?" he demanded, in a faltering voice.

"It is."

"I—I think I'd rather not," said Scrooge.

"Without their visits," said the Ghost, "you cannot hope to shun the path I tread. Expect the first to-morrow, when the bell tolls One."

"Couldn't I take 'em all at once, and have it over, Jacob?" hinted Scrooge.

"Expect the second on the next night at the same hour. The third upon the new night when the last stroke of Twelve has ceased to vibrate. Look to see me no more; and look that, for your own sake, you remember what has passed between us!"

第5講 05

［あらすじ 11ページ 1〜5行］

"Good Heaven!" said Scrooge, clasping his hands together, as he looked about him. "I was bred in this place. I was a boy here!"

The Spirit gazed upon him mildly. Its gentle touch, though it had been light and instantaneous, appeared still present to the old man's sense of feeling. He was conscious of a thousand odours floating in the air, each one connected with a thousand thoughts, and hopes, and joys, and cares long, long, forgotten!

"Your lip is trembling," said the Ghost. "And what is that upon your cheek?"

Scrooge muttered, with an unusual catching in his voice, that it was a pimple; and begged the Ghost to lead him where he would.

"You recollect the way?" inquired the Spirit.

"Remember it!" cried Scrooge with fervour; "I could walk it blindfold."

"Strange to have forgotten it for so many years!" observed the Ghost. "Let us go on."

They walked along the road; Scrooge recognising every gate, and post, and tree; until a little market-town appeared in the distance, with its bridge, its church, and winding river. Some shaggy ponies now were seen trotting towards them with boys upon their backs, who called to other boys in country gigs and carts, driven by farmers. All these boys were in great spirits, and shouted to each other, until the broad fields were so full of merry music, that the crisp air laughed to hear it.

"These are but shadows of the things that have been," said the Ghost. "They have no consciousness of us."

The jocund travellers came on; and as they came, Scrooge knew and named them every one. Why was he rejoiced beyond all bounds to see them! Why did his cold eye glisten, and his heart leap up as they went past! Why was he filled with gladness when he heard them give each other Merry Christmas, as they parted at cross-roads and bye-ways, for their several homes! What was merry Christmas to Scrooge? Out upon merry Christmas! What good had it ever done to him?

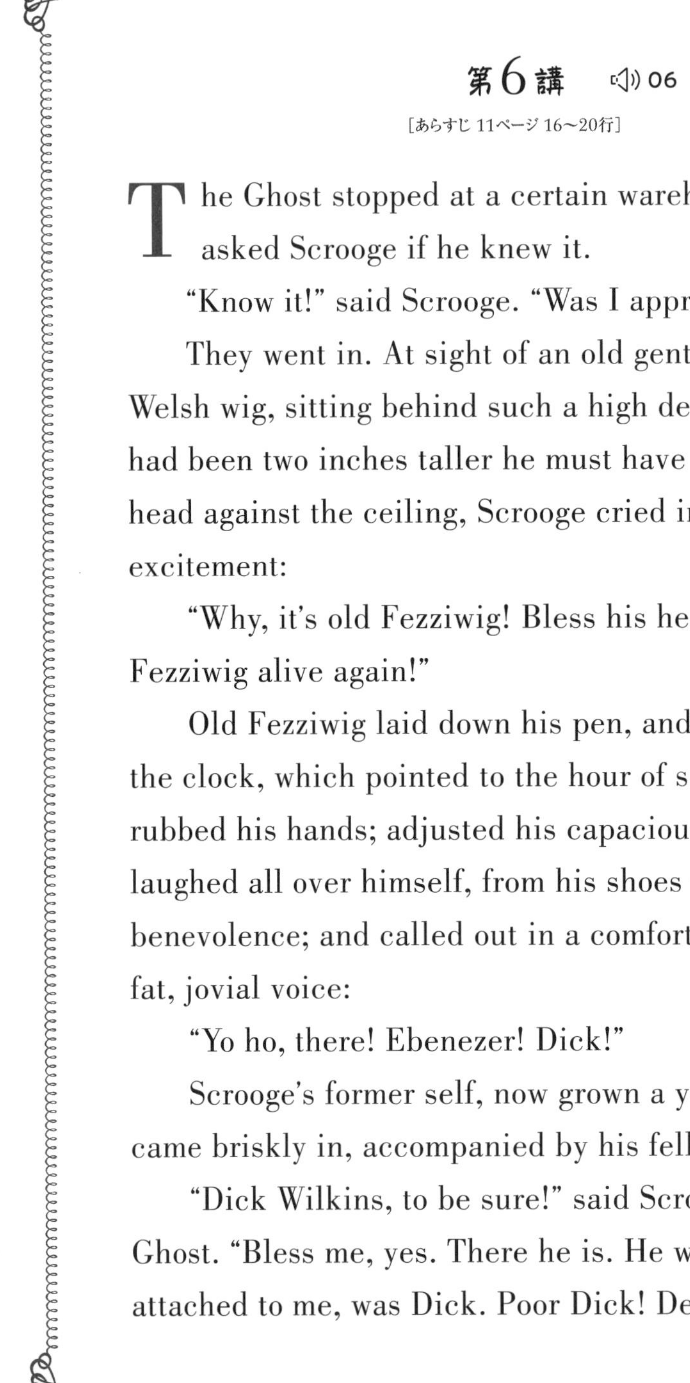

第6講 06

［あらすじ 11ページ 16〜20行］

The Ghost stopped at a certain warehouse door, and asked Scrooge if he knew it.

"Know it!" said Scrooge. "Was I apprenticed here!"

They went in. At sight of an old gentleman in a Welsh wig, sitting behind such a high desk, that if he had been two inches taller he must have knocked his head against the ceiling, Scrooge cried in great excitement:

"Why, it's old Fezziwig! Bless his heart; it's Fezziwig alive again!"

Old Fezziwig laid down his pen, and looked up at the clock, which pointed to the hour of seven. He rubbed his hands; adjusted his capacious waistcoat; laughed all over himself, from his shoes to his organ of benevolence; and called out in a comfortable, oily, rich, fat, jovial voice:

"Yo ho, there! Ebenezer! Dick!"

Scrooge's former self, now grown a young man, came briskly in, accompanied by his fellow-'prentice.

"Dick Wilkins, to be sure!" said Scrooge to the Ghost. "Bless me, yes. There he is. He was very much attached to me, was Dick. Poor Dick! Dear, dear!"

"Yo ho, my boys!" said Fezziwig. "No more work to-night. Christmas Eve, Dick. Christmas, Ebenezer! Let's have the shutters up," cried old Fezziwig, with a sharp clap of his hands, "before a man can say, Jack Robinson!"

You wouldn't believe how those two fellows went at it! They charged into the street with the shutters—one, two, three—had 'em up in their places—four, five, six—barred 'em and pinned 'em—seven, eight, nine—and came back before you could have got to twelve, panting like race-horses.

"Hilli-ho!" cried old Fezziwig, skipping down from the high desk, with wonderful agility. "Clear away, my lads, and let's have lots of room here! Hilli-ho, Dick! Chirrup, Ebenezer!"

Clear away! There was nothing they wouldn't have cleared away, or couldn't have cleared away, with old Fezziwig looking on. It was done in a minute. Every movable was packed off, as if it were dismissed from public life for evermore; the floor was swept and watered, the lamps were trimmed, fuel was heaped upon the fire; and the warehouse was as snug, and warm, and dry, and bright a ball-room, as you would desire to see upon a winter's night.

第7講 07

［あらすじ 13ページ 3〜12行］

At last the dinner was all done, the cloth was cleared, the hearth swept, and the fire made up. The compound in the jug being tasted and considered perfect, apples and oranges were put upon the table, and a shovel-full of chestnuts on the fire. Then all the Cratchit family drew round the hearth, in what Bob Cratchit called a circle, meaning half a one; and at Bob Cratchit's elbow stood the family display of glass; two tumblers, and a custard-cup without a handle.

These held the hot stuff from the jug, however, as well as golden goblets would have done; and Bob served it out with beaming looks, while the chestnuts on the fire sputtered and cracked noisily. Then Bob proposed:

"A Merry Christmas to us all, my dears. God bless us!"

Which all the family re-echoed.

"God bless us every one!" said Tiny Tim, the last of all.

He sat very close to his father's side, upon his little stool. Bob held his withered little hand in his, as if he loved the child, and wished to keep him by his side, and dreaded that he might be taken from him.

"Spirit," said Scrooge, with an interest he had never felt before, "tell me if Tiny Tim will live."

"I see a vacant seat," replied the Ghost, "in the poor chimney corner, and a crutch without an owner, carefully preserved. If these shadows remain unaltered by the Future, the child will die."

"No, no," said Scrooge. "Oh, no, kind Spirit! say he will be spared."

"If these shadows remain unaltered by the Future, none other of my race," returned the Ghost, "will find him here. What then? If he be like to die, he had better do it, and decrease the surplus population."

Scrooge hung his head to hear his own words quoted by the Spirit, and was overcome with penitence and grief.

第8講 08

［あらすじ 14ページ 4〜9行］

"He said that Christmas was a humbug, as I live!" cried Scrooge's nephew. "He believed it too!"

"More shame for him, Fred!" said Scrooge's niece, indignantly. Bless those women; they never do anything by halves. They are always in earnest.

She was very pretty: exceedingly pretty. With a dimpled, surprised-looking, capital face; a ripe little mouth, that seemed made to be kissed—as no doubt it was; all kinds of good little dots about her chin, that melted into one another when she laughed; and the sunniest pair of eyes you ever saw in any little creature's head. Altogether she was what you would have called provoking, you know; but satisfactory, too. Oh, perfectly satisfactory!

"He's a comical old fellow," said Scrooge's nephew, "that's the truth: and not so pleasant as he might be. However, his offences carry their own punishment, and I have nothing to say against him."

"I'm sure he is very rich, Fred," hinted Scrooge's niece. "At least you always tell *me* so."

"What of that, my dear!" said Scrooge's nephew. "His wealth is of no use to him. He don't do any good with it. He don't make himself comfortable with it. He hasn't the satisfaction of thinking — ha, ha, ha! — that he is ever going to benefit Us with it."

"I have no patience with him," observed Scrooge's niece. Scrooge's niece's sisters, and all the other ladies, expressed the same opinion.

"Oh, I have!" said Scrooge's nephew. "I am sorry for him; I couldn't be angry with him if I tried. Who suffers by his ill whims? Himself, always. Here, he takes it into his head to dislike us, and he won't come and dine with us. What's the consequence? He don't lose much of a dinner."

"Indeed, I think he loses a very good dinner," interrupted Scrooge's niece. Everybody else said the same, and they must be allowed to have been competent judges, because they had just had dinner; and, with the dessert upon the table, were clustered round the fire, by lamplight.

第9講

［あらすじ 16ページ 15〜19行］

The Phantom spread its dark robe before him for a moment, like a wing; and withdrawing it, revealed a room by daylight, where a mother and her children were.

She was expecting some one, and with anxious eagerness; for she walked up and down the room; started at every sound; looked out from the window; glanced at the clock; tried, but in vain, to work with her needle; and could hardly bear the voices of the children in their play.

At length the long-expected knock was heard. She hurried to the door, and met her husband; a man whose face was care-worn and depressed, though he was young. There was a remarkable expression in it now; a kind of serious delight of which he felt ashamed, and which he struggled to repress.

He sat down to the dinner that had been hoarding for him by the fire; and when she asked him faintly what news (which was not until after a long silence), he appeared embarrassed how to answer.

"Is it good," she said, "or bad?"—to help him.

"Bad," he answered.

"We are quite ruined?"

"No. There is hope yet, Caroline."

"If *he* relents," she said, amazed, "there is! Nothing is past hope, if such a miracle has happened."

"He is past relenting," said her husband. "He is dead."

She was a mild and patient creature if her face spoke truth; but she was thankful in her soul to hear it, and she said so, with clasped hands. She prayed forgiveness the next moment, and was sorry; but the first was the emotion of her heart.

"What the half-drunken woman whom I told you of last night, said to me, when I tried to see him and obtain a week's delay; and what I thought was a mere excuse to avoid me; turns out to have been quite true. He was not only very ill, but dying, then."

"To whom will our debt be transferred?"

"I don't know. But before that time we shall be ready with the money; and even though we were not, it would be a bad fortune indeed to find so merciless a creditor in his successor. We may sleep to-night with light hearts, Caroline!"

第10講 🔈10

［あらすじ 16ページ 27行～17ページ 7行］

The Spirit stood among the graves, and pointed down to One. He advanced towards it trembling. The Phantom was exactly as it had been, but he dreaded that he saw new meaning in its solemn shape.

"Before I draw nearer to that stone to which you point," said Scrooge, "answer me one question. Are these the shadows of the things that Will be, or are they shadows of things that May be, only?"

Still the Ghost pointed downward to the grave by which it stood.

"Men's courses will foreshadow certain ends, to which, if persevered in, they must lead," said Scrooge. "But if the courses be departed from, the ends will change. Say it is thus with what you show me!"

The Spirit was immovable as ever.

Scrooge crept towards it, trembling as he went; and following the finger, read upon the stone of the neglected grave his own name, EBENEZER SCROOGE.

"Am *I* that man who lay upon the bed?" he cried, upon his knees.

The finger pointed from the grave to him, and back again.

"No, Spirit! Oh no, no!"

The finger still was there.

"Spirit!" he cried, tight clutching at its robe, "hear me! I am not the man I was. I will not be the man I must have been but for this intercourse. Why show me this, if I am past all hope?"

For the first time the hand appeared to shake.

"Good Spirit," he pursued, as down upon the ground he fell before it: "Your nature intercedes for me, and pities me. Assure me that I yet may change these shadows you have shown me, by an altered life!"

The kind hand trembled.

"I will honour Christmas in my heart, and try to keep it all the year. I will live in the Past, the Present, and the Future. The Spirits of all Three shall strive within me. I will not shut out the lessons that they teach. Oh, tell me I may sponge away the writing on this stone!"

講義と勉強会の登場人物

越前 敏弥

えちぜん としや

文芸翻訳者。翻訳の仕事をはじめる前は、学習塾や予備校で中高生や留学準備生に英語などを教えていたが、それからもう20年ぐらい経つので、今回高校生や大学生と接する機会ができてうれしく思っている。全国の読書会をまわって、ご当地のラーメンを食べまくるのが生きがい。

蒔岡 京子

まきおか きょうこ

会社勤めをしながら、越前先生のもとで翻訳の勉強をはじめて5年。辞書をよく調べ、小説の深いところまで考える習慣は身についているが、勘に頼って読みちがえたり、逆に考えすぎて変な訳文を作ったりということが少なくない。

沖田 樹梨亜

おきた じゅりあ

難関大学文学部2年生。高校在学時に英検準1級を取得し、いまは1級をめざして勉強中。『ダ・ヴィンチ・コード』をはじめとするダン・ブラウン作品のファンで、訳者が主催する勉強会があると聞いて意欲満々で参加した。知識が豊富で、文法にも強いが、早合点してとんでもない誤読をすることもよくある。

藤島 義一

ふじしま よしかず

私立高校の2年生。高校1年で英検2級取得。語学にとても興味があって、部活でESSに所属している。『クリスマス・キャロル』やディケンズのことはまったく知らなかったが、ハイレベルの勉強会があると聞いて発奮し、少し不安はあるけれど飛びこんでみた。

第1講

①MARLEY was dead: to begin with. There is *no doubt whatever about that. The *register of his burial was signed by the *clergyman, ②the clerk, the *undertaker, and the *chief mourner. Scrooge signed it: and ③Scrooge's name was good upon *'Change, for anything he chose to put his hand to. *Old Marley was as dead as a *door-nail.

Mind! ④I don't mean to say that I know, of my own knowledge, what there is particularly dead about a door-nail. ⑤I might have been inclined, myself, to regard a coffin-nail as the deadest piece of *ironmongery *in the trade. But ⑥the wisdom of our ancestors is in the *simile; and ⑦my *unhallowed hands shall not disturb it, or the Country's *done for. You will therefore permit me to repeat, emphatically, that Marley was as dead as a door-nail.

Scrooge knew he was dead? Of course he did. How could it be otherwise? Scrooge and he were partners for I don't know how many years. Scrooge was his sole *executor, his sole *administrator, his sole *assign, his sole *residuary legatee, his sole friend, and sole mourner. And even Scrooge was not so dreadfully *cut

物語の書き出しです。下線部①～⑪について、問いに答えてください。

① to begin with が文頭ではなく後半にありますが、文頭にある場合とは何か印象が異なるでしょうか。また、前後が「:」でつながれているのは、「,」の場合とどうちがって感じられるでしょうか。

② ここではどういう意味でしょうか。

③ for がどんな働きをしているかに注意して、日本語にしてください。

④ of がどんな働きをしているかに注意して、日本語にしてください。

⑤ dead の最上級というのは本来ありえない形ですが、それも含めて、珍妙で滑稽な言い方であることを意識しつつ、日本語にしてください。

⑥ simile とは、ここではなんのことを指しているでしょうか。

⑦ shall の意味合いや or の用法に注意して、日本語にしてください。

［注釈］

L.01 **no ... whatever** まったく～ない　L.02 **register** 登録書　L.03 **clergyman** 聖職者、牧師

L.04 **undertaker** 葬儀業者　**chief mourner** 喪主。mourner は葬儀の参列者。

L.05 **'Change** exchange の略。（商品・証券などの）取引所　L.06 **Old Marley** この old は親しみをこめてよく名前の前につけられるので「老いた」という意味は強くない。38行目でも大文字ではじまっているが、なんとなく特別な存在だと強調するためで、あまり深い意味はない。このあとも、こういう old が頻繁に出てくる。

L.07 **door-nail** ドアの鋲釘　L.11 **ironmongery** 金物類

L.11 **in the trade** 現在取引されている、世に出まわっている　L.12 **simile** 直喩、比喩

L.13 **unhallowed** 神聖ではない、邪悪な　L.14 **done for** 死んで、だめになって

L.20 **executor** 遺言執行者　**administrator** 遺産管理人　**assign** 相続人

L.21 **residuary legatee** 残余財産受取人　L.22 **cut up** 傷つける、悲しませる

up by the sad event, *but that he was an excellent man of business on the very day of the funeral, and ⑧ *solemnised it with an undoubted bargain.

The mention of Marley's funeral brings me back to the point I started from. There is no doubt that Marley was dead. This must be distinctly understood, or nothing ⑨ wonderful can come of the story I am going to relate. ⑩ If we were not perfectly convinced that *Hamlet's Father died before the play began, there would be nothing more remarkable in his taking a stroll at night, in an *easterly wind, upon his own *ramparts, than there would be in any other middle-aged gentleman *rashly turning out after dark in a breezy spot — say *Saint Paul's Churchyard for instance — literally to astonish his son's weak mind.

Scrooge never painted out Old Marley's name. There it stood, years afterwards, above the *warehouse door: Scrooge and Marley. The firm was known as Scrooge and Marley. ⑪ Sometimes people new to the business called Scrooge Scrooge, and sometimes Marley, but he answered to both names. It was all the same to him.

⑧ つまり、どういうことが言いたいのでしょうか。

⑨ ここではどういう意味でしょうか。

⑩ 比較を用いた構文に注意しつつ、日本語にしてください。まず than より前の部分を訳し、つぎに than のあとを訳すとうまくいきます。

⑪ どういう文型かに注意して、日本語にしてください。

［注釈］

L.23 **but that** 本来この but は that ... not の意味で、前の not so ... と組み合わせて考える必要があるが、古い言い方でもあり、ここでは that を無視して全体を「〜ではなく〜」のように考えてかまわない。

L.25 **solemnise**（儀式を）執りおこなう。米語では solemnize。

L.30 **Hamlet's Father died ...** シェイクスピア『ハムレット』では、デンマークの国王が急死し、王子ハムレットが心を痛めるが、ある夜、城壁のあたりで父である王の亡霊と出くわし、実は父が暗殺されていたという話を聞かされる。 L.33 **easterly** 東からの **rampart** 城壁

L.34 **rashly** 軽率にも、分別なく

L.35 **Saint Paul's Churchyard** セント・ポール大聖堂の（墓地がある）一角

L.39 **warehouse** 事務所、店舗（ここでは倉庫ではない）

①**マーリーは死んでいた──まず最初にそう言っておこう。**疑う余地はまったくない。マーリーの埋葬登録書には、牧師、②**教会書記**、葬儀屋、喪主の署名があった。スクルージも署名し、③**スクルージと言えば、ロンドンの王立取引所では、当人が手をくだしたあらゆるものについて、信用される名前だった。**つまり、マーリーはドアの鋲釘(びょうくぎ)に劣らず、まちがいなく死んでいた。

どうかご注意を！ ④**わたしはドアに打ちつけてある釘のどこがどう死んでいるのかについて、知識をひけらかすつもりはない。**⑤**わたしとしては、世に出まわっている金物類で最も死んでいるのは棺桶の釘だと考えたくなったものだった。**だが、⑥**“ドアの鋲釘に劣らず死んでいる”というたとえには先人の知恵が詰まっているの**だから、⑦**わたしの穢れた手でいじくりまわすわけにはいかないし、そんなことをしたらこの国は世も末だ。**だから、ここはお許しを願って、もう一度断じよう。マーリーはドアの鋲釘に劣らず、まちがいなく死んでいた。

スクルージはマーリーの死を知っていたか？　もちろんそうだ。知らないはずがあろうか。スクルージとマーリーは、数えきれぬほど長い年月にわたって、共同経営者同士だった。スクルージはマーリーのただひとりの遺言執行者、ただひとりの遺産管理人、ただひとりの相続人、ただひとりの残余財産受取人にして、ただひとりの友、ただひとりの送葬者だった。そんなスクルージでさえ、この不幸に気落ちしないどころか、葬儀の日にもすぐれた商魂を発揮して、⑧**破格の安値で式を営んだのだった。**

マーリーの葬式の話が出たところで、はじめにもどろう。マーリーはまちがいなく死んでいた。この点をしっかり理解してもらわないと、これから話す物語になんの⑨**不思議**もなくなる。⑩**芝居を観るにしたって、ハムレットの父親がはじめから死んでいることを承知していなければ、東風の吹くなか、父親が夜な夜な城壁をぶらついたとしても、なんの驚きもない。そこらの中年紳士が、暗くなってからどこか風の吹く場所へ――たとえばセント・ポール大聖堂の近くへ――分別もなく現れて、気弱な息子をただおどかすのと変わらないのだから。**

スクルージはマーリーの名前を塗りつぶさなかった。マーリーが死んで何年も経つのに、事務所のドアの上方には、相変わらず〈スクルージ&マーリー商会〉と記されていた。会社は〈スクルージ&マーリー商会〉の名で知られている。⑪**最近知り合った者は、スクルージをスクルージと呼ぶこともあれば、マーリーと呼ぶこともあったが**、スクルージは両方の名前に返事をした。どちらでも同じことだったのだ。

① MARLEY was dead: to begin with.

to begin withが文頭ではなく後半にありますが、文頭にある場合とは何か印象が異なるでしょうか。また、前後が「:」でつながれているのは、「,」の場合とどうちがって感じられるでしょうか。

答 マーリーが死んだことが強く印象に残る。「:」でつながれることによって、さらに強調される。

もちろん、**To begin with, Marley was dead.**も**Marley was dead, to begin with.**もほとんど同じ意味ですし、どちらも文法的に正しい言い方です。ただ、作者はこのあともずっと、マーリーが死んだことをしつこいくらい何度も繰り返しますが、これはマーリーがあとでスクルージの前に姿を現すときに、それが幽霊であることを読者がわかるようにするためです。だとしたら、書き出しが**Marley was dead**であるほうが、そのことを読み手の心により強く印象づけることができるのではないでしょうか。

コロン(:)と**セミコロン**(;)は日本語にない記号で、使うべき場面がいくつかありますが、何より重要なのは、**切れ目としてピリオド(.)>コロン(:)>セミコロン(;)>カンマ(,)の順に大きい**ということです。この文では、**Marley was dead: to begin with.**のほうが**Marley was dead, to begin with.**よりも前半と後半の切れ目が大きく、仮に朗読するなら、(おそらく1秒にも満たないでしょうが)少し長い間をとることになりますから、それによってますます**Marley was dead**が際立ちます。微妙な、ほんとうに微妙なちがいではありますが、**物事を述べる順序にも、記号の使い方にも、それなりの理由がある**と言えます。

以上を総合して、この個所は「マーリーは死んでいた──まず最初にそう言っておこう」と訳してみました。もっとも、「まず最初に言うが、マーリーは死んでいた」として、大きな問題があるわけではありません。

② the clerk

ここではどういう意味でしょうか。

答 教会事務員(書記)

clerkはふつう事務員や職員という意味ですが、辞書を引くと、聖職者や教会事務員（書記）という意味も見つかります。死体の埋葬登録書に署名をする人物としては、辞書で見つけた意味でとらえるほうがふさわしく、また、直前に**clergyman**（聖職者）が出てくるので、こちらは教会事務員（書記）の意味に解釈するのが妥当です。

③ Scrooge's name was good upon 'Change, for anything he chose to put his hand to.

forがどんな働きをしているかに注意して、日本語にしてください。

答 スクルージと言えば、ロンドンの王立取引所では、当人が手をくだしたあらゆるものについて、信用される名前だった。

まず、**upon 'Change**は「取引所において」。それをはさむ形の**be good for**が「〜について有効である」という意味で、**for**のあとは「彼が手がけると決めたあらゆるもの」ということです。スクルージは血も涙もない商売人でしたが、だからこそ取引所ではある意味で効力のある（信頼できる）名前であり、スクルージが埋葬登録書に署名したのなら嘘偽りはない、だからマーリーが死んだという事実にまちがいはない、という含みがここにはあります。

④ I don't mean to say that I know, of my own knowledge, what there is particularly dead about a door-nail.

ofがどんな働きをしているかに注意して、日本語にしてください。

答 わたしはドアに打ちつけてある釘のどこがどう死んでいるのかについて、知識をひけらかすつもりはない。

たとえば、**die of**と**die from**はともに「〜が原因で死ぬ」という意味であり、**be made of**と**be made from**は「〜を材料（原料）とする」という意味です。この個所もそれを応用して、**of**のかわりに**from**を入れてみたらわかりやすくなるのではないでしょうか。**of my own knowledge**で「自分の知識から引き出して」のような感じの意味合いとなります。

what以下は、**what there is**のあたりの構文がわかりにくいですが、whatはもともとはなんらかの「もの」ですから、ここにはThere is **something** particularly dead about a door-nail.という文が潜在しています。これを「ドアの鋲釘について、特に死んでいるものがある」➡「ドアの鋲釘について、どんなものが特に死んでいるのか」のように変形すれば、正しい意味にたどり着きます。それでもまだ少しわかりにくいので、訳文では「ドアに打ちつけてある釘のどこがどう死んでいるのか」としてみました。

⑤ I might have been inclined, myself, to regard a coffin-nail as the deadest piece of ironmongery in the trade.

deadの最上級というのは本来ありえない形ですが、それも含めて、珍妙で滑稽な言い方であることを意識しつつ、日本語にしてください。

答 わたしとしては、世に出まわっている金物類で最も死んでいるのは棺桶の釘だと考えたくなったものだった。

まず、たびたび出てくる**as dead as a door-nail**というのは昔からよく使われていた慣用表現で、おそらくこれが書かれた19世紀ですら、すでに古めかしく感じられたと思われます（*Oxford English Dictionary*には14世紀からの用例がいくつか載っています）。

この段落から語り手（I）が登場しますが、この語り手がいろいろなことをわざと大げさに言って、滑稽な感じを醸し出しているのが読みとれたでしょうか。deadestもそのひとつで、door-nailがdeadならcoffin-nail（棺桶の釘）は二重に死んでいることになるからdead**est**と呼びたくなる、というのがこの文の趣旨です。もちろん、deadの最上級など、ふつうは考えられません。

言ってみれば、これは**趣味の悪い「親父ギャグ」のようなもの**です。語り手（作者のディケンズ自身と考えていいでしょう）もそんなことは承知で、だからこそあえて

might have been inclined toと言っています。**be inclined to**は「～したい」をちょっとまわりくどく言った表現ですし、**might have been**は仮定法のなかで最も控えめな言い方ですから、全体としては「させていただけたらよいのですが」ぐらいのニュアンスでしょう。つまり、ばかばかしいことを口にしながら、思いっきり控えめな態度をとる（ふりをする）ことによって、滑稽さをさらに際立たせているわけです。そして、このまわりくどい語り口はこの段落の終わりまでずっとつづき、第3、第4段落でもときどき顔を出します。

⑥ the wisdom of our ancestors is in the simile

simileとは、ここではなんのことを指しているでしょうか。

答 as dead as a door-nail というたとえ

そのまま訳せば「先人たちの英知がこのたとえのなかにある」ということですが、語り手がこれを本気で言っているとは思えません。わざと大げさに持ちあげることによって、この**慣用表現の古めかしさを逆に強調**し、小ばかにしているわけで、にやにやしながらこれを書いている作者の顔が見える気がしてなりません。

⑦ my unhallowed hands shall not disturb it, or the Country's done for

shallの意味合いやorの用法に注意して、日本語にしてください。

答 わたしの穢れた手でいじくりまわすわけにはいかないし、そんなことをしたらこの国は世も末だ

大げさな言い方はまだまだつづきます。たかがドアの鋲釘のたとえごときのために、自分の手のことを**unhallowed**（神聖ではない）と言ってみたり、強い意志を表す**shall**（shall notの場合は強い禁止）を使ってみたり、勢いを増していく一方で、あげくの果てに、さもないと（or）この国が滅ぶとまで言いだす始末です（ごていねいにCountryと大文字ではじめているのもさらなる誇張です）。

⑧ solemnised it with an undoubted bargain

つまり、どういうことが言いたいのでしょうか。

答 スクルージがマーリーの葬儀代を値切って安くすませたこと。

itが指すのは直前のfuneralであり、全体としては「疑う余地のないbargainで葬式を執りおこなった」ということです。辞書によると、名詞のbargainには「取引、契約」などの意味と「特価品、値引き品」(バーゲンセールなどの「バーゲン」)の意味のふたつがありますが、ここはむしろ動詞のbargainの訳語としてよく載っている「交渉する、駆け引きする」から考えるほうがわかりやすいでしょう。値引きというのは、本来は買い手が売り手と巧みに交渉した結果として得られるものです。

ここでは、2行前でスクルージをan excellent man of businessと評していることもあり、これは葬儀代をぎりぎりまで値切ったことだと考えられます。唯一の友とも呼ぶべきマーリーの葬儀でさえそんな商魂を見せることから、スクルージはこの上なくけちな男だとわかります。

ここも、直接「けち」と書くのではなく、本来ほめことばであるan excellent man of businessに逆の含みを持たせるなど、ひと筋縄ではいかない婉曲な語りがつづいています。

⑨ wonderful

ここではどういう意味でしょうか。

答 不思議な

「すばらしい」と解釈して意味が通らないわけではありませんが、ここまでずっと、マーリーが死んでいることを繰り返し強調しているわけですから、のちにマーリーが幽霊として現れることを指してwonderfulと言っているはずです。wonderfulはwonderからできた形容詞ですから、本来は「不思議な」という意味で、ここではそちらがぴったりです。

現代では「すばらしい」のほうが主流ですが、「不思議な」の意味合いで使われる場合もないわけではありません。

⑩ If we were not perfectly convinced that Hamlet's Father died before the play began, there would be nothing more remarkable in his taking a stroll at night, in an easterly wind, upon his own ramparts, than there would be in any other middle-aged gentleman rashly turning out after dark in a breezy spot—say Saint Paul's Churchyard for instance—literally to astonish his son's weak mind.

比較を用いた構文に注意しつつ、日本語にしてください。まず**than**より前の部分を訳し、つぎに**than**のあとを訳すとうまくいきます。

答 芝居を観るにしたって、ハムレットの父親がはじめから死んでいることを承知していなければ、東風の吹くなか、父親が夜な夜な城壁をぶらついたとしても、なんの驚きもない。そこらの中年紳士が、暗くなってからどこか風の吹く場所へ—たとえばセント・ポール大聖堂の近くへ—分別もなく現れて、気弱な息子をただおどかすのと変わらないのだから。

長く複雑ですが、いわゆる「**クジラ構文**」の典型です。

王子ハムレットが父王の亡霊と出くわす場面を踏まえ、もしこのとき王が生きていたら、この場面は劇的でもなんでもなく、ただ父親が息子を驚かそうと飛び出してきたつまらない場面になってしまう、というのがこの文の大筋です。

「クジラ構文」については、くわしくは文法書などを参照してもらいたいのですが、典型とされる形（クジラ構文と呼ばれる理由）はこういうものです。

A whale is **no more** a fish **than** a horse [is].

馬が魚ではないのと同様に、クジラは魚ではない。

➡ クジラが魚ではないのは、馬が魚ではないのと変わらない。

この**no more... than...**を使った形をそう呼ぶわけですが、ここではふたつの文が書き手の頭のなかに存在します。

A whale is **not** a fish. （クジラは魚ではない）

A horse is **not** a fish. （馬は魚ではない）

このうち、あとの「馬は魚ではない」はあたりまえのことであり、それを引き合いに出して、前の「クジラは魚ではない」もそれとなんら変わらない（それ以上でもなんでもない）と主張するために比較の形を使うのがこの表現です。

別の例をあげると、**My French is no more fluent than my Spanish [is].** であれば、わたしのスペイン語が流暢ではないことが前提となって、「わたしのフランス語は、スペイン語と同じで、たいしてうまいわけではない」という意味になります。

これは**もとに否定の表現があることが前提**となった言い方で、逆の意味の**no less... than...**は、**もとに肯定の表現があることが前提**となります。**Her French is no less fluent than her Spanish [is].** であれば、彼女がスペイン語を流暢に話せることが前提にあったうえで、「彼女のフランス語はスペイン語と同様（スペイン語に劣らず）流暢だ」となるわけです。

さて、今回の長い英文で使われているのは**nothing more... than**という形ですが、本質は**no more... than**とまったく同じです。書き手の頭にあるふたつの文を並べてみると、

There would be **nothing remarkable** in his taking a stroll at night, in an easterly wind, upon his own ramparts.

（東風の吹くなか、彼が夜に城壁をぶらつくことには、なんの驚きもない）

There would be **nothing remarkable** in any other middle-aged gentleman rashly turning out after dark in a breezy spot—say Saint Paul's Churchyard for instance—literally to astonish his son's weak mind.

（ほかのどんな中年紳士であれ、暗くなったあとで風の吹く場所に——たとえばセント・ポール大聖堂の墓地あたりに——軽率にも現れて、気弱な息子をただおどかすことには、なんの驚きもない）

となり、要は「前半で言っていることは、後半で言っている自明のことと同様に、あたりまえである」と伝えているわけです。

この構文はけっして古くさいわけではなく、現代でも文学作品やニュース記事などでよく見かけます。最初はゆっくり時間をかけて考えてかまいませんから、何が前提となって何と比較されているのか、結局何が言いたいのかをしっかり見定めることを繰り返すうちに、だんだん慣れていくはずです。

⑪ Sometimes people new to the business called Scrooge Scrooge, and sometimes Marley,

どういう文型かに注意して、日本語にしてください。

答 最近知り合った者は、スクルージをスクルージと呼ぶこともあれば、マーリーと呼ぶこともあった

new to the businessは、「その業界や商売に慣れていない人」でも「スクルージの事務所にはじめて来て知り合った人」でも、どちらでもかまいません。

後半で**Scrooge**がふたつつづく個所が見づらいのですが、ここは

people (new to the business) called Scrooge **Scrooge**
S V O C

のように、「人々はスクルージをスクルージと呼んだ」と読むのが正解。そのあとの**and sometimes Marley**は、

and sometimes people called Scrooge **Marley**

のように補って考えれば、対照的な形になって意味が通ります。社名が〈スクルージ&マーリー商会〉なのにひとりしかいないので、新しく来た人はその人物がスクルージなのかマーリーなのかわからなかったのです。

ひねりのきいた文体…冒頭からとまどった！

越前 立場がまったくちがうけど、英語をしっかり読めるようになりたいという意欲が旺盛な3人に集まってもらいました。これから10回にわたる講義と勉強会、よろしくお願いします。第1回、やってみてどうでしたか。

蒔岡 越前先生のもとで文芸翻訳を勉強中の蒔岡京子です。ディケンズは、翻訳では『二都物語』とか『オリヴァー・トゥイスト』とか、何冊か読んでいて、この『クリスマス・キャロル』も小学生のときに読みました。でも、子供向きにアレンジしてあったので、こんなに変な文章だなんて思わなくて。スクルージはひねくれ者だけど、語り手はもっとひねくれ者。

沖田 大学2年生の沖田樹梨亜です。よろしくお願いします。最近の小説は何冊か原書で読みましたけど、19世紀の作品ははじめてかも。『クリスマス・キャロル』はあらすじだけ知ってました。今回英語で読んでみて、なんというか、だいたいの流れはわかるんだけど、ほんとうにこの読み方でいいのかどうか、自信を持てないところが多かったという印象です。

藤島 高校2年生の藤島義一です。『クリスマス・キャロル』って作品のことも何も知らなくて、いきなり「マーリーは死んでいた」ばっかり何度も繰り返したり、突然「わたし」が出てきて、何がなんだかって感じで、わからないところだらけでした。でも、いろいろ説明を聞いて、この先を読みたくなってきました。

越前 たしかに、こういう文体に慣れていないと、最初はとまどうよね。ただ、これが書かれたのは1843年で、200年近く前なんだけど、いまの英語と大きく異なるわけじゃない。日本だと、江戸時代の終わりごろ、天保の改革や大塩平八郎の乱があったあたりで、そのころの日本語はまだ「古文」の領域にはいるから、子供はもちろん、大人でもそうそうは理解できない。それに比べると、ディケンズなんかは、外国人でもがんばればなんとか読めるんだよね。だんだん慣れていくし、しかも10回のうち今回の範囲は特にむずかしいところだから、いちばんの山を越えたということで、この先もあきらめずに取り組んでもらいたいと思います。

語り手が突然現れて、メタフィクションみたい

沖田　いきなり1人称の語り手が顔を出すのって、おもしろいですね。メタフィクションって言うんでしたっけ?　わたしは自分の訳では語り手を思いきって「わし」にしてみたんですけど、先生の訳は「わたし」でした。

蒔岡　読者に対してじっくり語り聞かせるような調子なんでしょうか。調べてみたんですが、ディケンズはこの作品を毎年朗読したんですってね。

越前　言おうと思ってたことを先にどんどん言われてしまったな。ふたりとも、大事な指摘をしてくれた。まず、メタフィクションというのはそのとおりなんだけど、このころ、**19世紀の前半ぐらいには、語り手が奥に引っこむとか、視点人物を明確にするとか、現代の小説ではあたりまえになってることが、まだかならずしもそうじゃなくて、突然語り手が顔を出すようなことはそう珍しくなかった。**だから、いまのわれわれよりは、こういうのをごく自然に受け入れたんだと思う。

沖田さんの「わし」は、とてもおもしろかったけど、これを書いたときのディケンズがまだ30代の前半だったことを考えると、ちょっとやりすぎかな。でも、全体として、物知りの老人が昔話の教

訓を村人たちに伝えるような感じの訳文だったから、とてもおもしろかった。そういう試みはすごくいいね。

 沖田 ありがとうございます。

 **越前** 時岡さんの言った朗読の話はほんとうで、ディケンズは最初から朗読のつもりで書いたわけじゃないけど、これをまとめた朗読用の台本も作って、毎年クリスマスが来るたびに、人々の前に立って自分で朗読したらしい。

 藤島 えっ、自分で?

 **越前** それだけ愛着があったんだね。いまもそういう作家はけっこういる。

辞書を引けば、意外な意味もちゃんと載っている

 藤島 ぼくはそういう背景のところまでは調べなかったんですけど、いくつか辞書を見て「へえー」と思った単語はありました。**clerk**とか[➜P.48]、**bargain**とか。最初はぜんぜんわけがわかんなかった **'Change** も、ちょっと大きめの辞書だと載ってるんですよね。

 沖田 わたしも最初はさっぱりわからなかった。

 藤島 辞書を引くおもしろさがちょっと理解できたような気がします。ふだんはわからないとすぐGoogle翻訳なんかを見ちゃうんだけど、今回、この勉強会に参加するにあたって、先生からそれはぜったいにやっちゃいけないって言われてて——

 時岡 えっ、当然でしょ!

 沖田 Google翻訳なんて、変な日本語ばっかり出してくるよ。DeepL

はもうちょっといい気がするけど、わかりにくいところをよくすっ飛ばすから、あれもあんまり使えない。

越前 よく知ってるね（笑）。少なくとも現状では、その手のAI翻訳はまだまだ文芸翻訳では使い物にならない。ちょっと複雑な構文になるとめちゃくちゃな結果が出るし、単語レベルでも文脈なしでは問題外だ。たとえば、今回の**wonderful**が「すばらしい」なのか「不思議な」なのかなんて、この物語全体の流れがわからなきゃ決めようがないよね[➜P.52]。とにかく、しっかりした中身の文章を英語で読めるようになりたかったら、構文をしっかり考えたり、いろいろ調べながら文脈のなかで単語を覚えていったり、地道に力をつけるしかないんだよ。

読解力をつけるうえでも大切な「クジラ構文」

沖田 構文って言えば、クジラ構文って、久しぶりに聞きました（笑）[➜P.53]。大学受験のときにやって、なんだか変な例文だなって。馬は魚じゃないなんて、だれがわざわざ言うの？

越前 でも、この形は実際にいまでもよく見かけるし、比較を使ったいくつかの構文の代表格だから、避けて通るわけにはいかないんだ。

蒔岡 わたしは、クジラ構文のところはすぐわかったし、先生からいつも言われているように「左から右へ読んで、なるべく前から後ろへ訳す」を実践したんで、ここはだいじょうぶでしたけど、そのあとで気を抜いたせいか、**Scrooge Scrooge**に引っかかっちゃって[➜P.55]。「スクルージ・スクルージと呼ばれた」なんてやっちゃいました。

越前 そんなふうに訳して変だと思わなかった？

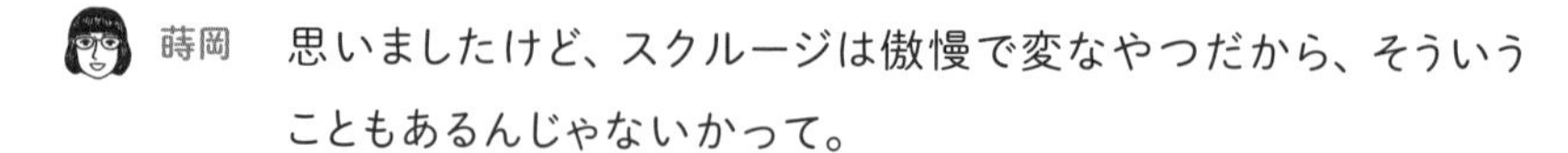

蒔岡　思いましたけど、スクルージは傲慢で変なやつだから、そういうこともあるんじゃないかって。

沖田　実はわたしも同じ……。

藤島　えっ、ぼくだけ正しく読めたってこと!?

越前　もちろん、そういうことだってある。**ぼくも、うっかりや思いこみの誤訳はよくやるよ。ただ、そういうとき、なんとなく違和感みたいなものがあって、それで読み返したら気づくことも多い。**クジラ構文にもどるけど、藤島くんはあそこは読めたかな。

藤島　まったくお手あげでした。実は、ハムレットのこともよく知らなくて［➜P. 53］、ヒントがなければなんの話をしてるかもわからなかったと思います。

蒔岡　ハムレットとお父さんのやりとりのことを知らなかったの？ それとも、ハムレットそのものを？

藤島　……ハムレットって、なんとなく聞いたことがあるけど、いったいだれ？ ってレベルです。

越前　いまの時代、高校生でもけっこうそういう人が多いのかもな。ぼくらの世代だと、海外のおもな作品のあらすじなんかは、子供のころから常識として叩きこまれてたんだけどね。逆に、若い人は別の部分のリテラシーが高いわけだから、時代の変化として受け入れなきゃいけないんだろうけど、文芸翻訳者としてはちょっとさびしいなあ。ぼくらの子供のころは、少年少女用の抄訳でまずたくさん読んだものだけど、いまはそういうのはあまりなくて、大人向けに簡単にまとめた本とか、何分で読めるどうのこうのとか、コミックになってたりとか、そういうのが多いよね。邪道だという人もいるけど、ぼくはどんな形でもいいからふれてもらいたいと思ってる。そして何年か経ってから、本物を読めばいい。

本格的なガイドとしては、『世界文学大図鑑』や『世界物語大事典』（どちらも三省堂）なんかもお勧めだよ。

 沖田　さりげなく自分の訳書を宣伝するんですね、先生。

 越前　まあ、ちょっとぐらいは許してください。

趣味はお休みの日の古書店めぐり。
日本文学もけっこう読みます。
——Kyoko

『クリスマス・キャロル』
こぼれ話

『クリスマス・キャロル』は、1843年、チャールズ・ディケンズが31歳のときに書かれました。刊行されたのはクリスマスの数日前で、出たとたんに大変な話題となり、ディケンズは人気絶頂の国民的作家となりました。19世紀イギリスの最大のベストセラー作家と言ってもいいでしょう。

いまでは日本も含めた世界じゅうの多くの場所でクリスマスが祝われていますが、19世紀のイギリスでは、国教会が厳格な規律と質素な生活を奨励していたことなどもあって、祝う習慣はあまり定着していませんでした。それを大きく変えた出来事がふたつあったと言われています。

ひとつは、ヴィクトリア女王の夫アルバート公がドイツからクリスマスの風習を宮殿に持ちこんだことです。クリスマスツリーがイギリスではじめて飾られたのは、1840年、ふたりのあいだに初の王女が誕生したときだとされています。それ以後、何十年かかけて、家族でクリスマスをにぎやかに祝う習慣がイギリスじゅうへ広まっていったようです。

もうひとつが、1843年にこの『クリスマス・キャロル』が発表されたことです。これを読んだ人たちが、家族の絆と信仰の深さの大切さを再認識し、以前の習慣を急速に復活させて、新たなものもそれに加えていったと言われています(この作品にはクリスマスツリーもクリスマスプレゼントも登場しません)。つまり、『クリスマス・キャロル』は当時のイギリスのクリスマスを克明に描いただけでなく、クリスマスの理想の姿を示し、いまも世界の多くの場所でクリスマスが祝われる原点となった作品だと言うことができるのです。

Lecture 2

第2講

①The door of Scrooge's *counting-house was open that he might keep his eye upon his clerk, who in a *dismal little cell beyond, a sort of tank, was copying letters. Scrooge had a very small fire, but the clerk's fire was so very much smaller that it looked like one coal. But he couldn't *replenish it, for Scrooge kept the coal-box in his own room; and ②so surely as the clerk came in with the shovel, the master predicted that ③it would be necessary for them to part. *Wherefore the clerk put on his white ④comforter, and tried to warm himself at the candle; ⑤in which effort, not being a man of a strong imagination, he failed.

"A merry Christmas, uncle! God save you!" cried a cheerful voice. It was the voice of Scrooge's nephew, who came upon him so quickly that ⑥this was the first *intimation he had of his approach.

"Bah!" said Scrooge, "*Humbug!"

He had so heated himself with rapid walking in the fog and frost, this nephew of Scrooge's, that he was all in a *glow; his face was *ruddy and handsome; his eyes sparkled, and his breath smoked again.

"Christmas a humbug, uncle!" said Scrooge's nephew.

クリスマス前日のスクルージの事務所の様子です。この作品で重要な役割を演じる事務員（ボブ・クラチット）とスクルージの甥が、ともに初登場する場面です（あらすじ9ページ 1〜12行）。下線部①〜⑨について、問いに答えてください。

① 1行目のthatの働きや3行目のtankの意味に注意して、日本語にしてください。

② 結局、何が「確実」なのでしょうか。

③ partの意味に注意して、日本語にしてください。

④ ここではどんな意味でしょうか。辞書を引いてかまいません。

⑤ 皮肉で滑稽な言い方であることを意識しつつ、日本語にしてください。

⑥ heとhisがそれぞれだれのことかに注意して、日本語にしてください。

[注釈]

L.01 **counting-house** （会計）事務所。第１講に出てきたwarehouseと同じ場所。

L.02 **dismal** 陰気な　L.06 **replenish** 補充する

L.09 **wherefore** 古い関係副詞。それゆえ。thereforeとほぼ同じと考えてよい。

L.16 **intimation** 暗示、ほのめかし　L.17 **humbug** たわごと、でたらめ（スクルージの口癖）

L.20 **glow** 輝き　**ruddy** 赤みがかった、血色のよい

"You don't mean that, I am sure. "

"I do," said Scrooge. "Merry Christmas! ⑦ What right
25 have you to be merry? What reason have you to be merry?
You're poor enough."

"Come, then," returned the nephew gaily. "What right
have you to be dismal? What reason have you to be
*morose? You're rich enough."

30 Scrooge having no better answer ready *on the spur of
the moment, said, "Bah!" again; and followed it up with
"Humbug."

"Don't be *cross, uncle," said the nephew.

"What else can I be," returned the uncle, "when I live
35 in such a world of fools as this? Merry Christmas! *Out
upon merry Christmas! ⑧ What's Christmas time to you but
a time for paying bills without money; a time for finding
yourself a year older, and not an hour richer; a time for
*balancing your *books and having every item in *'em
40 through a round dozen of months presented dead against
you? If I could work my will," said Scrooge, *indignantly,
⑨ "every idiot who goes about with 'Merry Christmas' on his
lips, should be boiled with his own pudding, and buried
with a *stake of *holly through his heart. He should!"

⑦ 語順や3行下との対比に注意して、日本語にしてください。

⑧ 1行目のbutの意味、セミコロン（;）が2回使われている理由、4行目のhavingからあとの構文などに注意して、日本語にしてください。

⑨ 日本語にしたうえで、なぜここでpuddingやヒイラギの杭が出てくるのかを考えてください。

［注釈］

L.29 **morose** 陰気な、不機嫌な　L.30 **on the spur of the moment** とっさに、その場で

L.33 **cross** 苛立った、不機嫌な　L.35 **out upon** ～なんて消えてしまえ、～なんて忌々しい

L.39 **balance** 決済する　**book**（会計の）帳簿　**'em**（= them）

L.41 **indignantly** 怒って、憤然と　L.44 **stake** 杭、太い棒　**holly** ヒイラギ

①**スクルージの事務所のドアはあいていて、水槽並みに小さなみすぼらしい隣室で書類の写しを作る事務員をつねに見張れるようになっていた。**スクルージの暖炉に燃える火はささやかだが、事務員のほうはそれにも増して貧弱で、石炭がひとかけら赤らんでいるだけに見えた。それでも新しく石炭をくべられないのは、スクルージが石炭箱を自室に置いているからだ。シャベルを手にはいっていこうものなら、この雇い主は②**決まって**、③**どうやらさよならを言わなければならないようだ**、などと言いだすのだった。そこで事務員は白い④**毛糸の襟巻き**をつけて、蝋燭の火で暖をとろうとした。⑤**想像力が豊かな男ではないから、それではうまくいかなかった。**

「メリー・クリスマス、伯父さん！　神のご加護がありますように！」朗らかな声が響き渡った。スクルージの甥だ。あまりにもすばやく飛びこんできたので、⑥**すぐそばに来るまで気づかなかった。**

「ふん！」スクルージは言った。「くだらん！」

霧と霜のなかを急いで歩いてきたせいで、スクルージの甥は体じゅうを熱く火照らせていた。上気した顔は美しく、瞳がきらきらと輝いていて、口を開くとふたたび白い吐息がこぼれた。

「クリスマスがくだらないですって、伯父さん！　そんなの、冗談なんでしょう？」

「大まじめさ」スクルージは言った。「メリー・クリスマスだと！⑦**おまえにどんな権利があって、愉快(メリー)にやろうなどと言えるんだ。**愉快になる理由がどこにある？　貧乏人のくせに」

「でも、それなら」甥は陽気に言い返した。「伯父さんこそ、そんなふうにふさぎこむ権利がありますか？ しかめっ面をしてる理由がありますか？ お金持ちなのに」

とっさにうまい返事が浮かばず、スクルージはまた「ふん！」と言い、さらに付け加えた。「くだらん！」

「そういらいらしないで、伯父さん」

「いらいらせずにいられるもんか」スクルージは言い返した。「愚か者ばかりのこんな世の中だというのに。メリー・クリスマスだと！メリー・クリスマスなんか、くたばっちまえ！ ⑧クリスマスってのは、払う金もないのに請求書を突きつけられる日だ。またひとつ歳をとって、それでいて金は1時間ぶんも増えない日だ。会計を決算しようとして、まるまる12か月の全部の項目で大損しているとわかる日だ。もしも、おれの願いがかなうなら」スクルージは憤然と言った。「⑨“メリー・クリスマス”などと口にするばかたれは、ひとり残らず、プディングともどもゆであげて、心臓にヒイラギの杭を打って埋めちまえばいい。ぜったいにだ！」

① The door of Scrooge's counting-house was open that he might keep his eye upon his clerk, who in a dismal little cell beyond, a sort of tank, was copying letters.

2行目のthatの働きや4行目のtankの意味に注意して、日本語にしてください。

答 スクルージの事務所のドアはあいていて、水槽並みに小さなみすぼらしい隣室で書類の写しを作る事務員をつねに見張れるようになっていた。

1行目の**counting-house**は、やや古いイギリス英語で、会計事務所などを指します。要はスクルージの仕事場で、第1講の39行目に出てきた**warehouse**と同じですから、どちらも「事務所」と訳しました。この作品で、スクルージ（とマーリー）がどんな仕事をしていたかははっきり書いてありませんが、金融業のたぐいを営んで、会計業務もおこなっていたと考えられます。

上記2行目（本文1行目）の**that**の働きですが、ここは**so that... might (can, will)... という相関構文のsoが省略された形**で、**that**以下が目的を表しています。「事務員を見張ることができるようにドアがあいていた」ということなので、このドアは事務員の小部屋（**cell**）とのあいだのものと考えられます。

clerkは第1講3行目の「教会書記」とはちがって、ふつうの事務員です。事務所にふたりだけでいたことになります。

後半の**who**以下は、**主格の関係代名詞who**に対する動詞部分が**was copying**で、そのあいだに場所を表す副詞句がはさまっています。**a sort of tank**は**cell**と同格で、これを別の表現で言い換えています。

beyondは、スクルージから見て少し離れていたことを表しています。

cellには「監房」という意味もあり、辞書によると**tank**もアメリカ英語では「監房」の意味で使われることがあるようですが、もちろんここは本来の「水槽」の意味で言っています（「監房」の意味になる場合も、ある種の比喩であると言えます）。ひとりの人間が働く場所を水槽と呼ぶのはあまりにも大げさですが、語り手の意地悪さがここでも誇張表現として反映されていて、この小部屋は作中で何度も**tank**と呼ばれます。

最後の**copying letters**ですが、この意味を正確につかめたでしょうか。

まず、もちろん**copy**は「コピーする」ではありません。日本語で紙にコピーするというとき、それに相当する英語は**photocopy**です。**copy**はもっと広い「複製する」という意味で、音声などのデータをコピーするという言い方は日本語にもありますね。

さらに言えば、むろん1843年にはコピー機など存在しません。パソコンやワープロもなく、タイプライターが実用化されたのは19世紀後半ですから、これもまだありません。となると、ここでは手書きで複写していたことになります。

つぎの**letters**は「手紙」でいいでしょうか。たしかに手紙を複写する場合もありますが、**letter**というのは**書類全般**、特に**複数形の場合は公的な文書**を指すことがよくあります。契約書や証文というのは、2通作成して借り手と貸し手などがそれぞれに署名するケースが多く、スクルージの仕事を考えれば、こちらの可能性がはるかに高いので、「書類」などとするのが適切です。

わずか3行の文ですが、考えるべき個所がたくさんありましたね。

② so surely as

結局、何が「確実」なのでしょうか。

答 スクルージが事務員に解雇を告げること

the master（主人＝スクルージ）が**predict**（予言、あるいは宣言）することが確実だと言っています。

たとえば、**so surely as**の位置に、よく似た形の**as soon as**を入れてみたらどうでしょうか。

> as soon as the clerk came in with the shovel, the master predicted that ...

であれば、「事務員がシャベルを持ってはいってくるとすぐ、主人は〜と予言した」とわかるでしょう。この場合、「はいってくるのと同じくらい早く（soon）予言する」ので、早いのははいってくることではなく、予言することです。

so surely asの場合も同様で、「はいってくるのと同じくらい確実に（surely）予言する」のですから、確実なのは予言することです。

③ it would be necessary for them to part

partの意味に注意して、日本語にしてください。

答 どうやらさよならを言わなければならないようだ

the master（スクルージ）が言ったことばを直接話法で表せば

the master said, “it **will** be necessary for **us** to part.”

となりますから、「われわれは別れなくてはいけない」ということです。石炭をむだに使うやつなど、くびにしてやる、と言えばいいのに、**わざわざまわりくどい言い方をする**ところが、いかにも底意地の悪いスクルージらしいです。

④ comforter

ここではどんな意味でしょうか。辞書を引いてかまいません。

答 襟巻き（マフラー）

ある程度くわしい辞書を引くと、**comforter**は、アメリカでは掛け布団、イギリスでは赤ちゃんのおしゃぶり、古いイギリス英語では襟巻き（マフラー）だと出ているはずです。ここでは、寒さをしのぐためのものなので、掛け布団か襟巻きですが、前に**put on**（身につける）とあることと、イギリスの作品であることを考えれば、襟巻きだとわかるはずです。

⑤ in which effort, not being a man of a strong imagination, he failed

皮肉で滑稽な言い方であることを意識しつつ、日本語にしてください。

答 想像力が豊かな男ではないから、それではうまくいかなかった

in which effort の **which は関係形容詞**です。**which を that に置き換えて**「そんな努力をしても」と読んでください。1行上の **Wherefore** を **Therefore** に置き換えるのと同じ感覚でとらえてかまいません。

not being **a man of a strong imagination** のところは**分詞構文**で、「強い想像力の持ち主ではないので」という意味です。蝋燭1本で体をあたためるには想像力が必要だが、それを持ち合わせていないから暖をとれない、と言っているわけです。第1講の文章を精読した人は、そろそろこの語り手の持ってまわった言い方に慣れてきたのではないでしょうか。

⑥ this was the first intimation he had of his approach

he と his がそれぞれだれのことかに注意して、日本語にしてください。

答 (スクルージは甥が) すぐそばに来るまで気づかなかった

he が**スクルージ**、**his** が**甥**を指します。**intimation のあとの関係代名詞 that が省略された形**であり、**he had** の部分を前に出すと **He had the first intimation of his approach.** (うまく訳せませんが、「スクルージは甥が近づいてきた最初の感触を得た」のような感じ) となるので、最終的には「すぐそばに来るまで気づかなかった」という訳文に落ち着くわけです。

⑦ What right have you to be merry?

語順や３行下との対比に注意して、日本語にしてください。

答 おまえにどんな権利があって、愉快（メリー）にやろうなどと言えるんだ。

「ペンを持っていますか」を“**Have you a pen?**”と言うように、これはやや古めのイギリス英語に見られる形で、**動詞haveが助動詞のように使われています**。アメリカ英語の語順なら“**What right do you have to be merry?**”となり、「楽しくなるためのどんな権利をおまえは持っているのか」ということになります。

ここからの３つの文に対して、甥がまったく同じ形でそれぞれ１語だけ変えて逆襲します。訳文も、その対比がわかるように、ほぼ対照的な形にしてあります。

⑧ What's Christmas time to you but a time for paying bills without money; a time for finding yourself a year older, and not an hour richer; a time for balancing your books and having every item in 'em through a round dozen of months presented dead against you?

１行目の**but**の意味、セミコロン（;）が２回使われている理由、４行目の**having**からあとの構文などに注意して、日本語にしてください。

答 クリスマスってのは、払う金もないのに請求書を突きつけられる日だ。またひとつ歳をとって、それでいて金は１時間ぶんも増えない日だ。会計を決算しようとして、まるまる12か月の全部の項目で大損しているとわかる日だ。

ずいぶん長い疑問文ですが、**What's**ではじまって疑問符で終わる本来の形なので、乱れた文ではありません。

まず１行目の**but**は「～以外の」「～以外なら」の意味の**前置詞**で、**except**や**other than**などに置き換えて考えるとわかりやすいです。最初のセミコロンまでは「おまえにとってクリスマスというのは、金もないのに支払をするとき以外のなんだというんだ」➡「**〜以外の何物でもない**」という意味になります。

このbutと意味の近い接続詞や関係代名詞もあり、それぞれ

It never rains **but** it pours.
(土砂降りにならずに雨が降ることはない➡降ればかならず土砂降り➡「二度あることは三度ある」)

There is no rule **but** has some exceptions.
(例外のない規則はない)

という決まり文句が有名ですね。こういうbutは最近の英語では使われることが少なくなりましたが、フォーマルな英語や文学作品ではまだまだ見かけます。もちろん、**nothing but**(=only)などの熟語の形でも残っています。

なお、この文に出てくる**you**や**yourself**は、先ほどはとりあえず「おまえ」と訳しましたが、甥のことを指しているというより、**漠然と人間全般を指していると考える**ほうがよく、⑦のyouとは異種のものと見なすべきです。

セミコロン(;)が2回使われているのは、それぞれのあとに**a time for... ing**ではじまる個所があって、1行目のものと合わせて3つが並んでいることをわかりやすく示すためです。その際、カンマ(,)を使ってもいいのですが、この文にはほかにもカンマがあるので、**セミコロンにしたほうが並列の関係が見やすくなります**。第1講の①で説明した、セミコロンはカンマよりもやや大きな切れ目であるという理解の仕方が、ここでも生きてくるはずです。

最後のhavingからあとの構文は、なかなか読みとりづらいです。ここは、

having　every item in 'em through a round dozen of
V　O
months　presented dead against you
C

のように「have+目的語+過去分詞」の形です。まちがえやすいのは**dead**で、これは「死んでいる」ではなく、「**まったく、完全に**」という意味の**副詞**です。つまり、あとのagainst youを強めているだけですから、いったん抜いて考えると、presented against you(おまえにとって不利なように示される)が残り、全体として

は「すべての項目が自分にとってまったく不利に示されるような状態にする」➡「すべての項目が完全に赤字だとわかる」という意味になります。

⑨ every idiot who goes about with ‘Merry Christmas’ on his lips, should be boiled with his own pudding, and buried with a stake of holly through his heart

日本語にしたうえで、なぜここで**pudding**やヒイラギの杭が出てくるのかを考えてください。

答 “メリー・クリスマス”などと口にするばかたれは、ひとり残らず、プディングともどもゆであげて、心臓にヒイラギの杭を打って埋めちまえばいい
理由は下の解説参照。

日本語にするだけなら、たいしてむずかしくないでしょう。問題は、なぜここでスクルージが突然**pudding**やヒイラギの杭を引き合いに出したかです。それを考えるには、ふたつの背景知識が必要です。

まず、**pudding**とはなんでしょうか。日本語の「プリン」のもとになったことばであることは多くの人がご存じでしょうが、実は**puddingとプリンはまったく別物**です。**pudding**にはさまざまな種類のものがありますが、これはクリスマスの話ですから、ここでは**Christmas pudding**を指していて、それはこの絵のようなものです。プリンと似ているのは全体の形だけですね。

Christmas puddingはイギリスの伝統的なケーキで、**小麦粉やパン粉にドライフルーツなどを入れて牛脂で固めたもの**です。日本語で近いのは、強いて言えばパウンドケーキでしょうか。イギリスではいまでも、いわゆるクリスマスケーキよりもこちらを食べてクリスマスを祝うことが多いです。この作品の後半でも、大家族がみんなでおいしそうにこれを食べる場面がありますが、現代の感覚だと、正直なところ、なんというか……味はあまり期待しないほうがいいかもしれません。いずれにせよ、プリンだと思っていると、実物を見たときびっくりするでしょう。

さて、絵にあるとおり、クリスマスプディングには**ヒイラギの枝**が載っているのがふつうです。ですからスクルージはプディングからの連想で、ヒイラギの杭と言っているのです。

ここでもうひとつ知っておいてもらいたい背景知識は、19世紀前半ごろまでのイギリスでは、自殺をするのは大きな罪で、**自殺者は死体の胸に杭を打ちこまれて四つ角などでさらし者にされていた**ということです。長く置かれていたので、死体は黒ずんだかもしれません。つまり、この当時の読者は、スクルージの台詞を読んだとき、巨大なクリスマスプディングにも似た重罪人の死体の心臓にヒイラギの杭が打ちこまれているという、なんともグロテスクな絵を頭に描いたはずです。

調べてみてびっくりした「プディング」

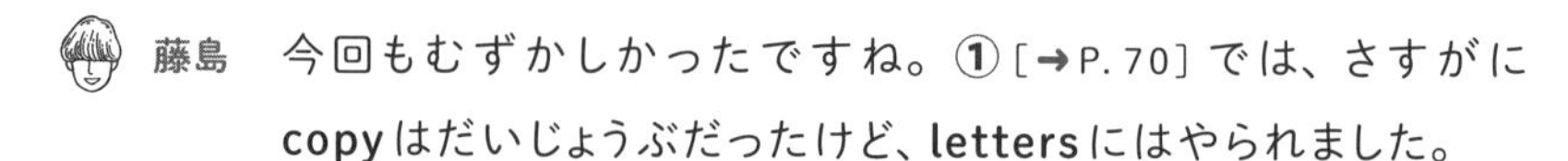

藤島　今回もむずかしかったですね。①［➜P. 70］では、さすがにcopyはだいじょうぶだったけど、lettersにはやられました。

沖田　comforter［➜P.72］も、先に何も言われなければ、掛け布団のほうを選んでしまったかも。

越前　衣類を表すことばは、英米で意味がちがったり、日本ではまったく異なるものを指していたりってことが多いんだ。vestとかjumperとかも、あとで調べてみるといいよ。

蒔岡　それを言うなら、衣類じゃないけど、今回のプディング［➜P.76］も。

藤島　そう、そう。びっくりでした。

蒔岡　先生、ひとつ疑問に思ったんですけど、そのプディングのところでboilと言っていますよね、「ゆでる」って。プディングは蒸して作るんじゃありませんか？

越前　蒸して作ることもあるかもしれないけど、これは布巾みたいなものにくるんで、湯煎みたいな感じでぐつぐつゆでるのがふつうらしいね。YouTubeで、作ってるところの動画を観たんだ。『クリスマス・キャロル』の後半では、プディングが銅釜から取り出されるところが出てきて、プディングを包んである布のにおいが洗濯物のようだ、なんて書いてある。

藤島　なんか、あんまり食べたくないな。

越前　でも、なんとなく懐かしい感じはするよ。それを家族みんなが待ちかまえてるところなんて、ほんとうに楽しそうだ。**そんなふうに洗濯でも調理でも同じ器具を使わざるをえないのが、当時の庶民の貧しさを物語っているんだけどね。**

辞書は大いに活用すべし

沖田　そのプディングのたとえで、自殺者の胸に杭を打ちこむって話ですけど、やっぱりこういう時代のものを読むときには、当時の社会の習慣のことなんかをくわしく勉強しなきゃいけないんですね。そっちも想像もしませんでした。

越前　もちろん、ある程度の下調べはするけど、実はぼくだって、もともとそのことを知ってたわけじゃない。ただ、文学作品を英語でたくさん読んでいると、だんだん勘が働くようになるんだよね。ここで唐突にこんなことを言ってるのは、何か裏があるんじゃないかとか、たぶん聖書の引用だなとか。ただ闇雲に調べるんじゃなく、ある程度予想をしながら調べていくから、見つけやすくなる。

藤島　辞書はどんなものを使うといいんですか。

越前　とりあえず、携帯用の電子辞書とか、オンライン版とか、形はいろいろあるだろうけど、**見出し語の数が30万語以上ぐらいの本格的な英和辞典**がまずひとつ必要だね。**『ランダムハウス英和大辞典』（小学館）**、**『リーダーズ英和辞典』『リーダーズ・プラス』のセット（研究社）**、**『ジーニアス英和大辞典』（大修館書店）**、**『新英和大辞典』（研究社）**あたりかな。それに、**中辞典クラスでも、文法・語法の解説がくわしい『ウィズダム英和辞典』（三省堂）**なんかも持ってると、微妙なニュアンスのちがいなどもよくわかる。あとは、**できれば英英辞典もひとつ**。蒔岡さんは何をメインで使ってる？

蒔岡　前は紙の辞書をいくつか持っていましたけど、少し前から**オンラインのジャパンナレッジ**を使っています。あと、**研究社のKOD**も。

越前　年間にいくらか払えば、英和にかぎらず何十冊もの辞書が使いたい放題になるサービスだね。ぼくは CD-ROM の時代に大量に買いそろえたんで、いまも30枚ぐらいを閲覧ソフトで**串刺し検索**、つまり**いくつもの辞書を同時に検索して、あとは Google 検索を中心に、オンラインの調べ物でそれを補う**感じかな。いまのところ、それでほとんど不自由はしない。最近はスマホやタブレットのアプリでも串刺し検索できる辞書がたくさん出てきたようだね。新しくそろえる人はそっちでもいいと思う。

沖田 わたしは大学がジャパンナレッジと契約してるんで、それをいくらでも使えるってことをつい最近知りました。ふだんは携帯用の電子辞書ですけど。

蒔岡 えっ、何、ジャパンナレッジをただで使えるの？ うらやましい！

沖田 この勉強会のために調べてみて、わかったんです。そのなかに『ランダムハウス』もはいってて。宝の持ち腐れになるところでした。

藤島 先生、紙の辞書はまったく使わないんですか。

越前 電子版が出ていないものはいまも紙のまま使ってるけど、原則はデジタルだね。なんと言っても、調べるスピードがぜんぜんちがう。

藤島 高校の先生が、紙の辞書だとまわりに書いてあることも同時に目にはいるから、ほかの知識も同時に身についていいって勧めてました。

越前 たしかにそれはそうだけど、電子辞書にあるジャンプ機能にも似た効果を期待できると思うよ。まあ、いっぺんに何もかもそろえる必要はないけど、精度の高い調べ物をしたかったら、ある程度の投資はしなきゃいけない。

はじめて知った…！「関係形容詞」

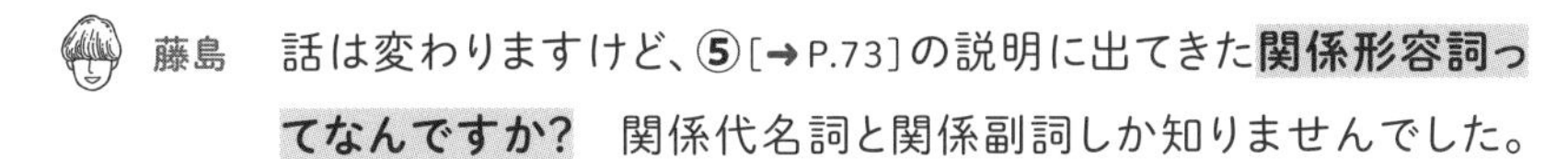

藤島　話は変わりますけど、⑤［→P.73］の説明に出てきた**関係形容詞ってなんですか？**　関係代名詞と関係副詞しか知りませんでした。

越前　⑤の例で言えば、in which effortのwhichはeffortにかかって、形容詞の働きをしてるのがわかるね。ほかの点では関係詞と同じように機能してるから、こういうのを関係形容詞と言うんだ。こんなふうに「**前置詞＋which＋名詞**」の形になるときと、「**what＋名詞**」の形になるときがあるね。She gave him what help she could.（彼女は彼にできるかぎりの援助を与えた）のようなケースだ。あまり細かい文法用語にこだわる必要はないけど、これは文字どおりの意味だから、覚えておいたほうがいい。

蒔岡　わたしは⑧［→P.74］の英文の構文が読みとれませんでした。なんとなく言っていることはわかりましたけれど、SVOCの形が見えなくて。

越前　たしかにOの部分が長いし、意味のまぎらわしいdeadがあるからね。

藤島　でも、セミコロンとカンマの説明は、目から鱗が落ちた感じでした。これまで、コロンとかセミコロンとか、特に気にしてなかったから。

越前　日本語にはない記号だからね。カンマひとつで意味が大きく変わる場合というのもよくあるよ。

全体のイメージを伝えることを念頭に置いて訳す

沖田　ちょっと前にもどっちゃうんですけど、英文の18行目から20行目にかけての“He had so heated himself with rapid walking in the fog and frost, this nephew of Scrooge's, that he was all in a glow;" というところです [➜P. 64]。先生の訳文は「霧と霜のなかを急いで歩いてきたせいで、スクルージの甥は体じゅうを熱く火照らせていた」となっていて、前半の **so heated himself** のあたりを捨象してますよね。これはどうしてこんなふうになさったんですか。

越前 捨象なんて、ずいぶんむずかしいことばを使うんだな。でも、ぴったりの言い方だ。実はいま言われてはじめて気づいたんだけど、たしかに**前半の heated の部分の結果を後半に凝縮させるような訳文**になってるね。こうしなきゃいけないわけじゃないけど、この文を読んだ人が思い浮かべる絵というか、イメージとしては同じものになるはずだ。細かい部分をていねいに訳し出すことは大切だけど、かならずしも一語一語を対応させる必要はなくて、全体としてのイメージを伝えたほうがいい場合もある。

蒔岡 同じ文で、**fog and frost** の訳が「霧と霜」になっていますけれど、雨かんむりでそろえるところがみごとですね。

越前 あ、**fog** と **frost** が韻を踏んでるってことかな? 2語だけだからたまたまそうなったのかもしれないけど、たしかに詩的で、リズムがいいね。雨かんむりでそろったのは、残念ながらただの偶然だよ。だって、ほかに訳しようがないから。でも、そういうところに注目するのはいいことだと思う。

藤島 ついでにぼくも同じ文で質問させてください。この文、最初に **He** ではじまって、だいぶ経ってからそれを **this nephew of Scrooge's** って言いなおしてますよね。なんでこんなふうに書いてあるんですか? 最初から甥だって言えばいいのに。

越前 うーん、むずかしい質問だな。でも鋭い。作者あるいは語り手がHeで文をはじめてみて、でもheとかhisがたくさんつづくから、途中でわかりやすくしたのか、少し変化をつけようとしたのか、ほんとうのところは定かじゃない。ただ、this nephew of Scrooge'sが挿入されることで、読者に語り聞かせるような調子に感じられるのはたしかだね。

ところで、この甥だけど、すごくいいやつだと思わないか。

沖田　そうですね、ふつうなら、こんな偏屈なじいさんなんか相手にしないのに。

蒔岡　それでいて、スクルージの言ったことをみごとにひっくり返して逆襲するところがおもしろい。

沖田　言い負かされたスクルージが「ふん!」とか「くだらん!」とか、ぶつぶつ言うのは、ちょっとかわいい。

藤島　かわいい?

越前　それはわからないでもないな。正真正銘の極悪人だったら、このあと、そう簡単に人が変わったりはしないだろうから。スクルージがほんとうはどんな人間なのか、細かいところに目を配りながらこの先を読んでいくのもおもしろいと思うよ。

『クリスマス・キャロル』
こぼれ話

ディケンズの時代に『クリスマス・キャロル』がよく朗読されたことは第1講でも少し書きましたが、わたしの新訳が角川文庫から出たすぐあとの2020年12月17日にも、KADOKAWA本社内のホールで刊行記念のオンライン朗読イベントがおこなわれました。読んでくださったのは、声優の上村祐翔さんと市川蒼さん。この本の第1講と第2講の範囲からマーリーの幽霊が登場するあたりまで、文庫で20ページ程度をおふたりに朗読していただきました。前半と後半に分けて、途中でスクルージの役を交代するなど、少し変わった趣向も交えて進行し、ぴったり息の合ったやりとりでこの作品を視聴者のみなさんに堪能してもらいました。特に上村さんは、かつて子役（第7講に登場するティム坊や）として舞台の〈クリスマス・キャロル〉に数年間出演なさっていたそうで、久しぶりにこの作品とかかわれるのがとてもうれしいとおっしゃっていました。

わたしはその日の司会進行役をつとめ、朗読中におふたりの横にすわっていたのですが、おふたりが手に持っていた台本にはびっしりと書きこみがあり、役を演じるためにとてもていねいな準備をしてくださったことがわかりました。訳書を朗読してもらう本格的な機会はわたしにとってもはじめてで、自分が文字で書いたことばが生き生きと語られ、ひとつひとつに生命が宿っていくのを目のあたりにするのは、とてもうれしい瞬間でした。大げさではなく、目の前に19世紀のロンドンが浮かぶようでした。

朗読の合間や終わりには3人での楽しいフリートークもあり、あっと言う間の90分でした。以前に比べて日本では海外の作品があまり読まれなくなっていますが、このような朗読の機会をたくさん作れば、若い人たちに興味を持ってもらうよいきっかけになるのではないかと思います。

『クリスマス・キャロル』の朗読会を、みなさんもどこかでやってみませんか。英語と日本語を交互に読むような形でもいいかもしれません。

Lecture

3

第 3 講

"How now!" said Scrooge, *caustic and cold as ever. "What do you want with me?"

"Much!"— Marley's voice, no doubt about it.

"Who are you?"

05 ① "Ask me who I *was*."

"Who *were* you then?" said Scrooge, raising his voice. ② "You're *particular — for a shade." He was going to say "*to* a shade," but *substituted this, as more appropriate.

10 "In life I was your partner, Jacob Marley."

"Can you — can you sit down?" asked Scrooge, looking doubtfully at him.

"I can."

"Do it, then."

15 Scrooge asked the question, because ③ he didn't know whether a ghost so transparent might find himself in a condition to take a chair; and ④ felt that ⑤ *in the event of its being impossible, it might involve the necessity of an embarrassing explanation. But the ghost

20 sat down on the opposite side of the fireplace, as if he were quite used to it.

"⑥ You don't believe in me," observed the Ghost.

スクルージの目の前に、かつての同僚マーリーの幽霊が現れる場面です（あらすじ10ページ2〜6行）。**下線部①〜⑪について、問いに答えてください。**

① was と were がイタリック体になっているのはなぜでしょうか。

② for a shade と to a shade の意味のちがいを考えてください。もし可能なら、両者の対比がわかるように全体を日本語にしてください。

③ 後半がまわりくどい言い方ですが、要点がわかるように簡潔な日本語にしてください。

④ この felt の前に and があるということは、felt はこの前のどこかと並んでいるということです。どの単語（または句）と並んでいるでしょうか。

⑤ これもややまわりくどい言い方ですが、簡潔な日本語にしてください。また、このときスクルージはどんな気持ちでいるでしょうか。

⑥ in に注意して、日本語にしてください。

［注釈］

L.01 **caustic** 辛辣な　L.07 **particular** 気むずかしい、細かいことにうるさい

L.08 **substitute** 〜を代用する　L.17 **in the event of** 〜の場合には

"I don't," said Scrooge.

"⑦What evidence would you have of my reality,

25 beyond that of your senses?"

"I don't know," said Scrooge.

"Why do you doubt your senses?"

"Because," said Scrooge, "a little thing affects them. ⑧A slight disorder of the stomach makes them cheats.

30 You may be an undigested bit of beef, a *blot of mustard, a *crumb of cheese, a fragment of an *underdone potato. ⑨There's more of gravy than of grave about you, whatever you are!"

⑩Scrooge was not much in the habit of *cracking

35 jokes, nor did he feel, in his heart, by any means *waggish then. The truth is, that he tried to be ⑪smart, as a means of *distracting his own attention, and keeping down his terror; for the *spectre's voice disturbed the very *marrow in his bones.

⑦ beyondの意味に注意して、日本語にしてください。

⑧ themは何を指していますか。また、これは第何文型の文でしょうか。

⑨ gravyとgraveの意味に注意して、日本語にしてください。翻訳を勉強中の人は、ぜひ3通り以上の訳文を作ってみてください。

⑩ 後半の倒置や挿入に注意して、日本語にしてください。

⑪ ここではどんな意味でしょうか。

［注釈］

L.30 **blot** 染み　L.31 **crumb** かけら、くず　**underdone** 生焼けの

L.34 **crack** （冗談を）飛ばす　L.36 **waggish** ふざけた、おどけた

L.37 **distract** そらす　L.38 **spectre** 幽霊。米語ではspecter。　L.39 **marrow** 髄

「おい、どうした！」スクルージは相変わらず冷たく辛辣な調子で言った。「おれに用でもあるのか？」

「大ありだ！」――まぎれもない、マーリーの声だ。

「あんた、だれなんだ」

①「だれだったのか、訊くといい」

「じゃあ、だれだったんだ」スクルージは声を張りあげた。②「面倒なやつだな……化けて出やがって」ほんとうは“ばかにしやがって”と言いかけたのだが、こちらのほうがふさわしいと思って言い換えたのだった。

「生きていたころは、おまえの共同経営者、ジェイコブ・マーリーだった」

「あんた……すわれるのか？」スクルージは疑わしげに相手を見て尋ねた。

「すわれるとも」

「なら、そうしたらどうだ」

スクルージがそんな質問をしたのは、③こんなに透きとおった幽霊が椅子にすわれるのかと疑問に思ったからだ。⑤もしすわれなければ、ばつの悪い言いわけをさせてやれるだろう。ところが、幽霊はずいぶんと慣れた様子で、暖炉の反対側に腰をおろした。

「⑥おまえ、わたしがここにいると信じていないな」幽霊は言った。

「信じるもんか」スクルージは言った。

「⑦わたしが実在する証拠は、おまえの五感によるもののほかに何があるというのだ」

「さあ、どうかな」

「なぜ自分の感覚を疑う？」

「なぜって」スクルージは言った。「些細なことにも影響されるからだ。⑧**腹の調子がちょっと悪いだけで、感覚は妙なことをやらかす。**あんたは消化しきれなかった牛肉の切れ端かもしれないし、マスタードの染みか、チーズの塊か、生焼けのジャガイモのかけらかもしれない。⑨**あんたが何者かは知らんが、化け物より揚げ物が近いんじゃないか！**」

⑩**スクルージは冗談などめったに飛ばさなかったし、このときはふざけたい気分ではまったくなかった。**何か⑪**しゃれた**ことでも言って気をまぎらわし、恐怖におののく心を落ち着けたかった、というのが本音だ。幽霊の声のせいで、骨の髄まで震えあがっていたからだ。

① "Ask me who I *was*." "Who *were* you then?"

wasとwereがイタリック体になっているのはなぜでしょうか。

答 過去形にして、マーリーが死んでいることを強調するため

スクルージから"**Who are you?**"と尋ねられたマーリーは、いまの自分はすでに死んでいるのだから、現在形ではなく過去形で尋ねるように求めます。スクルージはそれに律儀に応じて、過去形で訊き返します。そのことを際立たせるために書体をイタリックに変えているわけで、このような強調の意味のイタリックを日本語訳で表すとき、傍点をつけて処理する場合があり、ここはそのような処理がぴったりだと思います。

そんなふうに細かい言いまわしにこだわるマーリーのことを、スクルージはすぐあとで**particular**と評しています。

② "You're particular — for a shade." He was going to say "*to* a shade," but substituted this, as more appropriate.

for a shadeとto a shadeの意味のちがいを考えてください。もし可能なら、両者の対比がわかるように全体を日本語にしてください。

答 for a shadeは「幽霊にしては」、to a shadeは「些末なことまで」。
「面倒なやつだな……化けて出やがって」ほんとうは"ばかにしやがって"と言いかけたのだが、こちらのほうがふさわしいと思って言い換えたのだった。

これは難問中の難問で、わたしの訳はほんの一例です。

shadeには、「影」のほかに、「微妙なニュアンス」や「幽霊」という意味があります。

スクルージは、現在形と過去形のちがいにこだわるマーリーに対し、まず**You're particular to a shade.**（あんたは些末なことまで小うるさく言うやつだな）と言おうとしたのですが、そのとき、目の前にいるのが**shade**（幽霊）であることに気

づき、**particular** **for a shade**（幽霊にしては小うるさい）のほうがこの場にふさわしいので、そう言いなおした、というのがこの英文の趣旨です。

shadeのふたつの意味のちがいを、上の説明なしで日本語に反映させるのは不可能に近く、こういうのは翻訳者泣かせの英文の典型です。わたしの訳は「化けて出やがって」「ばかにしやがって」という似た響きのふたつの言い方を並べたものですが、もちろんこれは原文のニュアンスをすべて反映したものではなく、自然な日本語の言いまわしであることを最優先しています。

過去の『クリスマス・キャロル』の訳書で、この**for a shade**と**to a shade**をどんなふうに処理しているかを、いくつか紹介しましょう。それぞれに、意味と形の両方を反映させるために苦労しているのがわかります。

「幽霊にしては」「れいれいしく、細かいことまで」（中川敏訳、集英社文庫）

「気味の悪い奴だな」「気むずかしい奴だな」（脇明子訳、岩波少年文庫）

「恐ろしいくせに細かい」「恐ろしく細かい」（井原慶一郎訳、春風社）

翻訳を勉強中の人たちからは、こんな案が出ました。

「ようかいにしては」「こまかいところに」

「おぞましい」「やかましい」

「幽（かす）かな割には」「微かなことに」

③ he didn't know whether a ghost so transparent might find himself in a condition to take a chair

後半がまわりくどい言い方ですが、要点がわかるように簡潔な日本語にしてください。

答 こんなに透きとおった幽霊が椅子にすわれるのかと疑問に思った

そのまま言えば、後半は「椅子にすわるという状況にみずからがいることに気づく」とでもなるでしょうが、要は椅子にすわれるということです。**She found herself famous.**のように、**find oneself**は「気づいたら〜の状態になっていた」の意味でよく使いますが、ここはまわりくどく言うことによって、スクルージの心の迷いが少し感じとれる気がします。

④ felt

このfeltの前にandがあるということは、feltはこの前のどこかと並んでいるということです。どの単語（または句）と並んでいるでしょうか。

答 asked

この段落の冒頭から、大きく分けて２種類の読み方が考えられます。

・「スクルージがその質問をしたのは、～を知らなかったからであり、～と感じていたからでもあった」のように、**because**ではじまる節のなかで**he didn't know**と［**he**］**felt**が並んでいると考えて、理由がふたつあると見なす読み方。

・「スクルージは～を知らなかったのでその質問をした。そして、～と感じていた」のように、**because**節による理由はひとつだけで、**felt**以下はただ付け加えられたと見なす読み方。

どちらの読み方をしても、それなりに筋が通りますし、前者のほうが自然な感じがするかもしれませんが、正しいのは後者です。

それは、第１講の①、第２講の⑧でも扱ったように、**セミコロン（;）はカンマ（,）より大きな切れ目を表す**からです。この文の**because**の前にはカンマ、**and felt**の前にはセミコロンがあることに注意してください。もし前者のように**because**節のなかで**he didn't know**と［**he**］**felt**が並ぶのであれば、**and felt**の前は**because**の前よりも小さな切れ目ですから、セミコロンを使うのは不自然です。ここは後者のように、**askedとfeltが並んでいると考える**のが理詰めの読み方です。

⑤ in the event of its being impossible, it might involve the necessity of an embarrassing explanation

これもややまわりくどい言い方ですが、簡潔な日本語にしてください。また、このときスクルージはどんな気持ちでいるでしょうか。

答 もしすわれなければ、ばつの悪い言いわけをさせてやれるだろう
相手がほんとうにマーリーの幽霊なのかどうかと疑いながらも、ちょっとしたいやがらせを試みている。

its being impossibleは**it is impossible...**という言い方を動名詞に変えたものです。**it is impossible...**の形は、ふつう**it is impossible** [**for** 人] **to...** のように、**it**が仮主語でそのあとに意味上の主語と不定詞をともないますが、ここでは直前の個所を受けて**it is impossible for the ghost to take a chair**の後半が省略されていると考えられます。

そのあとの **it**は漠然とその状況（幽霊が椅子にすわれないこと）を指していると考えるのが自然で、後半部分をそのまま訳せば「幽霊がすわれないことは、困らせるような説明の必要をともなうかもしれない」という感じでしょう。この場合、スクルージは幽霊がすわれなくても特に困りませんから、困るのは幽霊自身ということになります。突然目の前に現れたマーリーの幽霊に対し、スクルージは半信半疑で怯えながらも、底意地の悪さゆえに、相手にいやがらせを試みているのです。

⑥ You don't believe in me,

inに注意して、日本語にしてください。

答 おまえ、わたしがここにいると信じていないな

believeと**believe in**のちがいはご存じでしょうか。ひとことで言えば**believe in** のほうが信じる度合いが強く、「～が正しいと信じる」「～を全面的に信頼する」「～が存在すると信じる」などのニュアンスがあります。**God**や **a**

ghostなどがあとに来る場合は、3番目の意味がぴったりです。ここでは、もし“**You don't believe me,**”なら、「わたしを信じていないな」、つまり、単にわたしの言ったことを信じていない、という意味ですが、**in**がはいると、「（幽霊の）わたしが実在すると信じていないな」という意味になります。

これが2行あとの**my reality**（わたしが実在すること）へとつながっていきます。

⑦ What evidence would you have of my reality, beyond that of your senses?

beyondの意味に注意して、日本語にしてください。

答 わたしが実在する証拠は、おまえの五感によるもののほかに何があるというのだ。

前半は**of my reality**を前へ移して、**What evidence of my reality would you have...**と考えるほうがわかりやすいでしょう。

my realityは⑥で説明したとおり、「わたしが実在すること」。

beyondはここでは「〜以外に」で、否定文と疑問文ではこの意味になることがよくあります。

最後の**senses**は「五感」と訳しましたが、おもに視覚（目）と聴覚（耳）でしょうね。「幽霊である自分の姿がはっきり見え、声が聞こえているのは明らかなのに」という含みがあります。

⑧ A slight disorder of the stomach makes them cheats.

themは何を指していますか。また、これは第何文型の文でしょうか。

答 senses、第5文型（SVOC）

この前の文の**them**は、最も近い複数形の名詞**senses**を指していますから、こちらの**them**も**senses**のことだと考えるのが自然です。

cheatは動詞と名詞の両方がありますが、**cheats**という形になっているので、ここでは名詞の複数形としか考えられません。名詞の場合、「詐欺（行為）」と「詐欺師」があり、形だけとってみれば、とりあえずここは第４文型（SVOO）と第５文型（SVOC）の２通りの読み方が考えられます。

A slight disorder of the stomach makes them cheats.
S　V　O　O

胃のちょっとした不調が、感覚に**cheats**（詐欺行為）を働く。

A slight disorder of the stomach makes them cheats.
S　V　O　C

胃のちょっとした不調が、感覚を **cheats**（詐欺師）に変える。

一見、上の読み方（SVOO）のほうが正しそうに感じられるかもしれませんが、ふたつの理由から、正しいのは下の読み方（SVOC）です。第１に、「〜を働く」という意味合いで**make**を使うのはかなり無理があるからです。そして第２に、文脈（特に、このつぎの文の内容）から考えて、感覚はだまされるものではなく、（人を）だますものだからです。

ここでスクルージは、視覚や聴覚というものは人を平気でだますから、いま自分の目の前にいる幽霊もただの錯覚でしかない、だからこわがるに値しない、と強がっているわけです。

⑨ There's more of gravy than of grave about you, whatever you are!

gravyと**grave**の意味に注意して、日本語にしてください。翻訳を勉強中の人は、ぜひ３通り以上の訳文を作ってみてください。

答 あんたが何者かは知らんが、化け物より揚げ物が近いんじゃないか！

②につづいて、英語のことば遊びですが、こちらのほうが気づきやすく、訳出処理もしやすいでしょう。

まず構文について。**there's more of gravy than of grave about you**は比較の文で、

there's much of gravy about you

there's much of grave about you

というふたつが比べられていると言えます。あんた（マーリー）については、**gravy**の成分のほうが**grave**の成分より多い、ということです。

前の文に食べ物の例が並んでいることと、マーリーが幽霊であることから考えて、**gravy**は肉汁、**grave**は墓または墓場のことなのですが、ここで大事なのは意味だけでなく、**このふたつが響きの似たことばで、韻を踏んでいる**ことです。このようにそれぞれの語の頭が韻を踏んでいる場合は**頭韻**と呼ばれ、日本語でも「桜が咲いた」や「飲んだら乗るな」など、無数の例があります。

つまりここは、スクルージが幽霊に怯えながらも、少しでも相手より優位に立とうとして、無理に駄洒落を飛ばしている場面です。

これを訳出する場合は、大ざっぱに言うと、おもしろみは捨てて英語の仕掛けをそのまま示すことを優先するか、原文の細部は無視して駄洒落らしさを伝えることを優先するか、ふたつの方法があります。前者の例は「墓場（グレーブ）より肉汁（グレービー）が近い」、後者の例はわたしの訳（「化け物より揚げ物が近い」）です。こういうとき、翻訳では思いきって何かを捨てるしかなく、どちらが正しい、あるいはどちらがすぐれていると言いきれるものではありません。

もちろん、ここの訳し方の例（特に後者）はまだまだたくさんあるので、このあとの勉強会で紹介します。

⑩ Scrooge was not much in the habit of cracking jokes, nor did he feel, in his heart, by any means waggish then.

後半の倒置や挿入に注意して、日本語にしてください。

答 スクルージは冗談などめったに飛ばさなかったし、このときはふざけたい気分ではまったくなかった。

前の文で**gravy**と**grave**の駄洒落を口にしたのを受けて、ふだんは冗談など飛ばさないと言ったあと、後半は倒置の形で、このときもそんな気分ではなかったと言っています。**nor**以下をふつうの形で図式化すると、

he did not feel [,in his heart,] [by any means] **waggish then**

のようになり、「そのときは（心中では）（ぜんぜん）ふざけたい気分ではなかった」という意味になります。

⑪ smart

ここではどんな意味でしょうか。

答 しゃれた

「気のきいた」「粋な」などでもいいです。英語の類義語としては**clever**、**intelligent**、**knowledgeable**、**astute**あたりでしょう。実は幽霊がこわくてたまらないので、気持ちの余裕を見せようと強がっているわけです。

気になる…！ スクルージの口癖Humbug!

沖田　やっぱり、スクルージ、かわいい！

越前・蒔岡・藤島　……。

沖田　だって、ほんとはびくびくしてるのに、すわれるのかなんて無理に尋ねてみたり、変な食べ物をずらずら並べて減らず口を叩いたり。

越前　まあ、なかなか深いところまで読みとれてるとは思うよ。前回も言ったとおり、ただの強欲じじいとして描かれてるわけじゃない。

藤島　その食べ物ですけど、牛肉、マスタード、チーズ、ジャガイモの4つがあげられてることに何か意味はあるんですか。

越前　前回のプディングとヒイラギの杭みたいなことかな？ 特にないと思うな。

蒔岡　前回から今回の場面のあいだの原文を読んだところ、スクルージは仕事帰りに食堂で夕食をとっています。そのとき食べたのがチーズバーガーとポテトだったのかも。

越前　そこは「うらぶれた食堂（melancholy tavern）」で「うらぶれた夕食（melancholy dinner）」をすませたと言ってるから、ちがう気がするな。それに、いまで言うハンバーガーは20世紀のはじめごろにアメリカで生まれたという説が有力だし。ごくふつうの食材を並べただけじゃないかな。

藤島　ハンバーガーで思い出したんですけど、この前“Humbug!”（くだらん！）ってのがありましたよね［➜P.64］、スクルージの口癖ってやつ。

越前　この作品でスクルージは6、7回そう言うんだ。ハンバーグとは関係ないと思うけど、それで？

藤島　『クリスマス・キャロル』についていろいろ知りたくて、関係のありそうな映画を何本か観てみたんですけど、そのまま映画化したやつでも、舞台を現代に変えたパロディっぽいやつでも、主人公がみんな“Humbug!”と言ってて、びっくりしました。

越前 *Oxford English Dictionary*によると、18世紀ぐらいから使われてたようだけど、**いまではスクルージの代名詞のようになってることば**なんだ。映画を何本も観るなんて、熱心だね。パロディってのは、どの映画？

藤島 **〈3人のゴースト〉**です。めっちゃ性格の悪い社長が改心していくやつ。

蒔岡 社長はビル・マーレイね。

越前 ああ、メアリー・ルー・レットンが本人の役をやったやつか。

沖田 だれですか、それ。

越前 1984年のロサンゼルス五輪の体操で金メダルをとった国民的スーパースターだ。ゴムまりみたいにぴょんぴょん跳ねて、大変な人気で、ぼくも……まあ、そんなことはいい。今回の範囲にもどろう。

調べてもわからないときは、どうすればいい?

蒔岡 なんと言っても、2か所のことば遊びですね。**to a shade**と**for a shade** [→P.92]のほうは、なんとか意味はとれたけど、訳文作りはお手あげでした。

沖田 わたしは辞書で**shade**の意味を調べてみたけど、**to a shade**のほうがどうしてもわからなくて。**particular**のあとに来る前置詞だと、**in**と**about**しか知りません。

藤島 ぼくもさっぱりでした。調べてもわからないときって、どうすればいいんですか。

越前 蒔岡さんはどうやって正解にたどり着いたの？

蒔岡 まず**for a shade**のほうは、**shadow**でも幽霊を表すことがあるから、すぐに「幽霊にしては」だとわかりました。正確に言うと、幽霊だろうと推測しながら辞書でshadeを調べていったら、文語として「亡霊、幽霊」という意味が見つかりました。

to a shadeのほうは、まったく見当がつきませんでしたけれど、「影」では意味が通らないから、辞書でshadeの意味をひとつひとつ見ていったら、8番目だか9番目だかに「微妙なあや」とか「ほんの少し」というのがあったので、それだろうと思いました。いちおうその下も見ていって、たしか『ランダムハウス英和大辞典』だと名詞は15番目までありましたが、ぴったり該当するのはなくて、結局それに決めました。

越前　**「予想→確認」**。それでだめなときは**「予想→修正→確認」**。**むずかしい英文を正しく読みとりたければ、左から右へ目を動かしながら、その順序で考える必要がある**ということを、ぼくはあちこちで繰り返し言ったり書いたりしてきたけど、**そのプロセスは単語を調べるときにもほぼ通用する**ということだね。効率のよさを追求しながらも、手抜きはしちゃいけない。それを繰り返すうちに、知識も増え、予想する力がついてくるということだ。a shade ofの形で「少しの～」という意味になることは現代でも珍しくないから、それに気づけばもう少し早くわかったと思うけどね。

こんな訳し方もできるgraveとgravy

沖田　でも、わかったところで、訳すのは無理じゃないでしょうか。

越前　そう、それはそうだ。翻訳そのものを仕事にしたり研究したりするんじゃなきゃ、意味がわかればじゅうぶんだよ。graveとgravy ［➡P.97］のほうはどうだった？

藤島　ぼくはふつうに「墓場より肉汁」としただけです。前回、fog and frostを雨かんむりでそろえるかどうかって話を聞いたんで、今回もそれかなと思ったけど、何もしませんでした。

越前　気づいただけでも大きな進歩だな。ただ、訳す場合は、それだけ

だと、そのあとの⑩ [➜P.98] の文で冗談とかふざけるとか言ってる意味が日本の読者にわからないから、何かのくふうをしなきゃいけないんだ。

沖田　わたしは⑨の説明にあった「前者の例」[➜P.98] にしました。ルビじゃなくて括弧をつけて「墓場（グレーブ）よりも肉汁（グレービー）」って書きましたけど。

越前　それはどっちでもかまわないよ。沖田さんにしては慎重な処理だな。いや、それが悪いわけじゃないけど。蒔岡さんは3通り考えたかな?

蒔岡　はい、やっぱりここは日本語だけの処理のほうがいいと思いましたけれど、なかなかおもしろいのは思いつかなくて。この3つです。

土のなかより胃のなかにいるほうがお似合いだ

棺というより羊のにおいがする

死臭よりシチューのにおいがする

沖田　3つもすごーい!

越前　なるほど。これは翻訳を勉強中の何人かにも取り組んでもらったんだけど、そのときはこんなのが集まったよ。

ゆうれいと言うより、ゆうべの胃もたれで見えるまぼろしだ

臨終より肉汁がお似合いだ

御陀仏というより吐瀉物

亡霊（ゴースト）というよりロースト

死肉というよりは焼肉のにおいがする

ちょっと苦しいのもあるけどね。みんな、どれがいちばん好きかな?

蒔岡　わたしは「御陀仏というより吐瀉物」。笑っちゃいました。スクルージにぴったり。

沖田　わたしは蒔岡さんの「死臭よりシチュー」。落差が大きい感じです。

蒔岡　ありがとう!

藤島 ぼくは「亡霊（ゴースト）というよりロースト」かな。意味も音も、両方うまく生かしてる気がします。

越前 意見が割れておもしろいね。たしかに、どれもうまくいってると思う。過去の訳書だと、こんな感じだ。

墓場（グレイヴ）よりも肉汁（グレイヴィ）（池央耿訳、光文社古典新訳文庫）
墓（グレーブ）より肉汁（グレーヴィー）（中川敏訳、集英社文庫）
墓場らしさより、ばかばかしさ（脇明子訳、岩波少年文庫）
うらめしやより晩めし（こだまともこ訳、講談社青い鳥文庫）
霊魂というよりも、ベーコンのほうに近いんだろう
（井原慶一郎訳、春風社）

最初のふたつは、原文の音を重視したタイプ。つぎのふたつは子供向けだから、英語の音をいっしょに紹介するわけにいかなくて、日本語のことば遊びをくふうしてる。最後のやつは、ぼくも笑ってしまった。実は自分で角川文庫版を翻訳するとき、過去の訳書をいろいろ参考にしながら進めてたんだけど、この最後のやつには「やられた！」と思ったね（笑）。ここまでみごとだと、そのまま真似するわけにもいかないし。自分の訳（化け物より揚げ物）は明らかにこの春風社版の影響を受けてると白状するよ。

藤島 こういうのを比べてみると、翻訳っておもしろいですね。

詩岡 苦しいけど、おもしろい。

越前 賛成だな。

藤島 それに比べて、細かい話かもしれないんですけど、英文の表現についてひとつ質問があります。⑤と⑥のあいだに**the ghost sat down on the opposite side of the fireplace**というところがあります［➜P.86］。訳例だと「幽霊は……暖炉の反対側に腰をおろした」。この「暖炉の反対側」って、どっちのことですか。まさか暖炉の裏じゃないだろうから、暖炉の向かいなのか、それとも別のどこかなのか、わけがわからなくなっちゃって。

越前　ああ、なるほど。この場にはスクルージと幽霊がいるんだから、「暖炉をバックにして、スクルージと反対の側」ということだ。たとえば、スクルージが左なら幽霊は右。そうか、「暖炉をはさんだ反対側」と訳したほうがよかったかもな。

英語は同じ語の繰り返しを避けたがる

沖田　わたしもひとつ質問させてください。今回の範囲で、幽霊を表すことばとして、shadeとghostとspectreの3つが出てきたんですが、ちがいがあるんでしょうか。

越前　なるほど。shadeはことば遊びのためにやや強引に使った感じがあるから、切り離して考えるべきだけど、あとのふたつは、ちがいと呼べるほどのものはないと思う。

英語は日本語に比べて、同じ語の繰り返しを避けたがる傾向があるんだ。たとえば、40歳のジムという画家が中心人物であるとき、Jimやheだけでなく、the painterとかthe forty-year-old artistとか、いろいろな表現に言い換えて話をつづけていく、なんてことがよくある。もちろん、ちゃんと理由があってそうする場合もあるけど、単に同じ語の繰り返しを避けるために別の語にすることも多い。

今回の場合は、ghostとspectreをたとえば「幽霊」「亡霊」と訳し分けてしまうと、日本人の読者は別のものだと考えてしまう傾向があるから、むしろ統一したほうがいいんだ。ただ、次回から出てくるSpiritはちょっとちがうものだから、これは別の日本語をあてるほうがいい。

沖田　あ、いよいよ3人の精霊が登場するんですね。

越前　実際に登場するのは第5講からだ。こわい精霊も、ちょっとかわいい精霊もいるよ。

沖田　かわいい精霊、楽しみです!

『クリスマス・キャロル』
こぼれ話

『クリスマス・キャロル』は古典の名作なので、もちろんこれまでに何度も映画化されています。ここではそのいくつかを紹介しましょう。

おそらく最も有名なのは、2009年の〈Disney's クリスマス・キャロル〉(ロバート・ゼメキス監督)でしょう。CGによるアニメーション作品で、3D版も作られました。スクルージが過去・現在・未来へと旅する個所など、緩急自在の映像がすばらしく、だれもが楽しめる良質のエンタテインメント作品に仕上がっています。コメディ映画に多く出演してきたジム・キャリーが、子供時代から現在までのスクルージだけでなく、過去・現在・未来の精霊まで、なんとひとり7役を演じたことが話題となりました。また、名優ゲイリー・オールドマンが、マーリー、事務員のボブ・クラチット、ティム坊やというまったくタイプの異なる3役を演じる離れ業を見せています。

実写では、1984年のクライヴ・ドナー監督版や1938年のエドウィン・L・マリン監督版が、配信などで観やすいと思います。時間がやや短めですが、どちらも原作にほぼ忠実な作品で、じゅうぶんに見応えがあります。1938年のほうはモノクロで、クラチット家の貧しさなどを最も正確に描いているのはこれかもしれません。

変わったところでは、1983年の〈ミッキーのクリスマス・キャロル〉(バーニー・マティンソン監督)も根強い人気があります。タイトルから想像できるとおり、ディズニーのアニメーションです。ドナルドダックのおじであるスクルージ・マクダック(アンクル・スクルージ)は、もともと『クリスマス・キャロル』から名前が採られていて、もちろんこの作品でもスクルージの役をつとめます。ミッキーは事務員のボブ・クラチット、ドナルドダックは(当然ですが)スクルージの甥のフレッドを演じます。

1992年の〈マペットのクリスマス・キャロル〉は、スクルージを名優マイケル・ケイン、事務員のボブ・クラチットを〈セサミストリート〉に登場するカエルのカーミットが演じた、人間とマペットが入り乱れるミュージカル映画です。原作とは細かい設定が微妙に異なっているところが多く、不思議な味わいの作品です。

そして、この原稿を書いている2021年の夏、『クリスマス・キャロル』を原案とした新作ミュージカル映画“Spirited”(ショーン・アンダース&ジョン・モリス監督)の撮影がはじまったと伝えられています。ライアン・レイノルズ、ウィル・フェレル、オクタヴィア・スペンサーが出演する、現代を舞台としたコメディタッチの作品のようですが、まだ詳細はわかりません。日本で公開されるようなら、これも楽しみです。

Lecture 4

第4講

"At this time of the rolling year," the *spectre said, "I suffer most. ① Why did I walk through crowds of *fellow-beings with my eyes turned down, and never raise them to *that blessed Star which led *the Wise Men to *a poor abode? ② Were there no poor homes to which its light would have conducted *me*!"

Scrooge was very much dismayed to hear the spectre going on at this rate, and began to quake exceedingly.

"Hear me!" cried the Ghost. "My time is nearly gone."

"I will," said Scrooge. "But don't be hard upon me! Don't be ③ *flowery, Jacob! Pray!"

"④ How it is that I appear before you in a shape that you can see, I may not tell. ⑤ I have sat invisible beside you many and many a day."

It was not an agreeable idea. Scrooge shivered, and wiped the *perspiration from his brow.

"⑥ That is no light part of my *penance," pursued the Ghost. "I am here to-night to warn you, that you have yet a chance and hope of escaping my fate. ⑦ A chance and hope of my *procuring, Ebenezer."

"You were always a good friend to me," said Scrooge.

マーリーの幽霊が、自分のようになりたくなければ3人の精霊の訪問を受けろとスクルージを諭す場面です（あらすじ10ページ 8～14行）。下線部①～⑨について、問いに答えてください。

① 前半は文の構造に注意して、後半は日本人にはわかりにくい部分を適宜補いながら、日本語にしてください。

② 文全体の構造や、poor homesと直前のpoor abodeの関係に注意して、日本語にしてください。

③ このfloweryは、ここではどういう意味で使われているでしょうか。

④ 文全体の構造やmayの意味に注意して、日本語にしてください。

⑤ これは第何文型の文でしょうか。

⑥ 主語Thatが何を指しているのかに注意して、日本語にしてください。

⑦ 前の文のa chance and hope of escaping my fateとの構造のちがいに注意して、日本語にしてください。

［注釈］

L.01 **spectre** 幽霊。米語ではspecter。　L.02 **fellow-beings** 同胞、人々

L.04 **that blessed Star, the Wise Men, a poor abode** 新約聖書の有名な場面（東方の三博士がマリアとイエスのもとを訪ねる場面）に関することば。the Wise Menが東方の三博士（三賢人）、that blessed Starは彼らが東方で見た星（ベツレヘムの星）、a poor abodeはマリアとイエスがいた厩を指している（abodeは住居を表す古い英語）。「彼らが王の言葉を聞いて出かけると、東方で見た星が先立って進み、ついに幼子のいる場所の上に止まった。学者たちはその星を見て喜びにあふれた。家に入ってみると、幼子は母マリアと共におられた。彼らはひれ伏して幼子を拝み、宝の箱を開けて、黄金、乳香、没薬を贈り物として献げた。」（マタイによる福音書 第2章第9節から第11節 日本聖書協会新共同訳）

L.12 **flowery** 花が咲き乱れた、華々しい　L.17 **perspiration** 汗、発汗

L.18 **penance** 贖罪　L.21 **procure** 手に入れる、調達する

"*Thank'ee!"

"You will be *haunted," resumed the Ghost, "by

25 Three Spirits."

Scrooge's *countenance *fell almost as low as the Ghost's had done.

"Is that the chance and hope you mentioned, Jacob?" he demanded, in a *faltering voice.

30 "It is."

"⑧I—I think I'd rather not," said Scrooge.

"Without their visits," said the Ghost, "you cannot hope to *shun the path I tread. Expect the first to-morrow, when the bell *tolls One."

35 "Couldn't I take *'em all at once, and have it over, Jacob?" hinted Scrooge.

"Expect the second on the next night at the same hour. The third upon the new night when the last stroke of Twelve has ceased to vibrate. ⑨Look to see me no

40 more; and look that, for your own sake, you remember what has passed between us!"

⑧ このあとには、どんなことばが省略されているでしょうか。

⑨ ふたつの look に意味のちがいがあるのかどうかに注意して、日本語にしてください。

［注釈］

L.23 **thank'ee**（≒thank you）　L.24 **haunt**（幽霊などが）現れる、出没する

L.26 **countenance** 顔の表情　**fall almost as low as the Ghost's had done** 幽霊と同じくらい（顔色が）悪くなる。ただし、第３講とこの個所のあいだに幽霊の下顎ががっくり落ちる場面があり、その個所の顔の動きと比べているとも考えられる。　L.29 **falter** 口ごもる、ためらいがちに言う

L.33 **shun** 避ける、逃れる　L.34 **toll**（鐘などが）鳴る　L.35 **'em**（= them）

「毎年めぐりくるこの季節がいちばんつらい」幽霊は言った。「①**なぜわたしは目を伏せたまま人々のあいだを通り過ぎ、東方の賢者たちをイエスの貧しき住まいへと導いたあの聖なる星を仰ぎ見ようともしなかったのか？** ②**その光がどこかの貧しい家へこのわたしを導いてくれることはなかったのか？**」

幽霊がそんな調子で興奮するさまにうろたえて、スクルージは激しく体を震わせた。

「聞け！」幽霊は叫んだ。「もう時間がないんだ」

「聞くさ」スクルージは言った。「でも、おれにつらくあたらんでくれ！ ③**大げさな**話はもうたくさんだ、ジェイコブ。頼むよ！」

「④**なぜわたしがおまえの目に見える姿で現れたのかを教えるわけにはいかない。** ⑤**これまで長い年月、見えない姿でおまえの横にすわっていたんだがな**」

どうも信じがたい話だった。スクルージは身震いし、噴き出した額の汗をぬぐった。

「⑥**それはわたしの果たすべき贖罪（しょくざい）のなかでも、けっして楽ではない部分だ**」幽霊はつづけた。「今夜、こうして会いにきたのは、おまえに忠告するためだ。おまえにはわたしと同じ運命から逃れる機会と希望がある。⑦**機会と希望だけは手に入れてやれたんだよ、**エベニーザー」

「あんたはいつもよき友だった」スクルージは言った。「感謝するよ」

「このあと、おまえのもとを訪れる者がいる」幽霊は言った。「3人の精霊だ」

スクルージの顔が幽霊に劣らず血の気を失った。

「それがあんたの言う機会と希望なのか、ジェイコブ」力なく尋ねた。

「そうだ」

「⑧そ――それはごめんこうむりたいな」スクルージは言った。

「その訪問を受けないかぎり、わたしと同じ道を行くことは避けられない。ひとり目の精霊は、あすの夜、1時の鐘が鳴ると現れる」

「3人いっしょに来てもらって、いっぺんに終わらせることはできんのか」スクルージはそれとなく提案した。

「ふたり目はそのつぎの夜、同じ時刻に現れる。3人目はそのまたつぎの夜、12時を知らせる鐘の最後のひと打ちが鳴りやんだときに現れる。⑨わたしにはもう会えないと思え。ただし、今夜わたしとのあいだにこういうことがあったのを忘れないよう気をつけろよ。おまえのためにだ!」

① Why did I walk through crowds of fellow-beings with my eyes turned down, and never raise them to that blessed Star which led the Wise Men to a poor abode?

前半は文の構造に注意して、後半は日本人にはわかりにくい部分を適宜補いながら、日本語にしてください。

答 なぜわたしは目を伏せたまま人々のあいだを通り過ぎ、東方の賢者たちをイエスの貧しき住まいへと導いたあの聖なる星を仰ぎ見ようともしなかったのか？

前半は、あとに**付帯状況のwithを使った形**（with my eyes turned down）を従え、「なぜ人々のあいだを、だれにも目を向けないまま通り抜けてしまったのか」と言っています。クリスマスだというのに、だれともかかわろうとしなかった自分の冷たさを恥じているわけです。

後半は**Why did I ...**の形がそのままつづき、信仰など軽んじて聖なる星へ目を向けなかった自分を恥じています。後半のエピソードは、日本人でも大筋を知っている人が多いので、訳出する際は、東方の賢者（三博士）やイエスなど、最小限の説明を補う程度でいいでしょう。

② Were there no poor homes to which its light would have conducted *me*!

文全体の構造や、poor homesと直前のpoor abodeの関係に注意して、日本語にしてください。

答 その光がどこかの貧しい家へこのわたしを導いてくれることはなかったのか？

この文は感嘆符（!）で終わっていますが、**形としては疑問文**なので、疑問符（?）に置き換えて考えてください。**its light**の**its**が指すのは、前の文の**that blessed Star**ですね。

to which以下が読みづらければ、後ろから先行詞**no poor homes**につなげて、**its light would have conducted me to no poor homes**という形をいったん作れば、「聖なる星の光はどの貧しい家へもわたしを導いてくれなかった」と読めるはずです。**仮定法過去完了のwould have**が使われているのは、「もし聖なる星を見上げていたら、導いてくれたはずなのに」という**後悔の表れ**です。

poor homesは前文の**a poor abode**とは別のもので、貧しい人たちの家々を指します。自分もあたたかい気持ちになって、貧しい人たちに何か思いやりを示していたら、いまごろ幽霊としてこんなわびしい思いをせずにすんだのに、というところでしょう。

③ flowery

このflowery は、ここではどういう意味で使われているでしょうか。

答 大げさな

floweryを辞書で調べると、「花のような」「花盛りの」などのほかに、「美文調の」「凝りすぎた」という意味があり、ここではその意味にとるのが適当です。もったいぶって大げさな恐ろしい話をするのはやめてくれ、とスクルージは懇願しているのです。

④ How it is that I appear before you in a shape that you can see, I may not tell.

文全体の構造やmayの意味に注意して、日本語にしてください。

答 なぜわたしがおまえの目に見える姿で現れたのかを教えるわけにはいかない。

How以下は**How is it ...?**と言い換えることができる**間接疑問文**で、**全文の主語・述語であるI may not tellが後置されています**。**how it is**は「なぜ」と訳しましたが、「どんないきさつで」などでもかまいません。

in a shape that you can seeは、本来姿が見えないはずの幽霊なのに、いまは相手から見えていることを示しています。

最後の**I may not tell** の **may not**は、否定推量（～ではないだろう）では意味がはっきりせず、**禁止**（～してはいけない）あるいは**不可能**（～できない）の意味と見なすのが自然です。禁止の場合、禁じるのは背後にある大きな力、おそらく神でしょう。そんな大げさな話ではなく、単に無理だと言っていると考えることもできます。

⑤ I have sat invisible beside you many and many a day.

これは第何文型の文でしょうか。

答 第2文型（SVC）

invisibleは形容詞ですから、**sat**を修飾しているのではなく、この文の補語（C）です。**I am invisible.**（わたしは姿が見えない）という文は第2文型ですから、この文もそれと同じ文型です。**sit**はこの文型で使える動詞です。

⑥ That is no light part of my penance,

主語Thatが何を指しているのかに注意して、日本語にしてください。

答 それはわたしの果たすべき贖罪のなかでも、けっして楽ではない部分だ

Thatが指しているものは特定しづらいのですが、このあとで**I am here tonight to warn you ...** と言っているのを考えると、みじめな幽霊の姿で現れたこと全体を指していると考えるのが最も妥当だと思います。スクルージを諭して改心させることが罪滅ぼしだというわけです。苦行であるという点では、直前のマーリーの台詞である**I have sat invisible beside you many and many a day.** もあてはまりそうですが、贖罪ということばにふさわしいのは、改心させるという大仕事でしょう。

⑦ A chance and hope of my procuring

前の文の **a chance and hope of escaping my fate**との構造のちがいに注意して、日本語にしてください。

答 機会と希望だけは手に入れてやれたんだよ

原文の構造どおりに訳せば「わたしが手に入れてやる機会と希望」とでもなるでしょう。

前の文と比べると、ふたつは形としては非常によく似ていますが、**of**の働きが異なります。

a chance and hope **of** escaping my fate

a chance and hope **of** my procuring

上は**chance**と**hope**の具体的な内容をあとに従える**of**で、全体としては「（スクルージが）わたし（と同様）の運命を免れる機会と希望」という意味になります。

一方、下の**of**は、**chance**と**hope**が**procure**（手に入れる）の目的語であることを示しています。

つまり、この個所には**I procured**（またはwill procure）**a chance and hope.**という文が内在していると考えられますから、上の解答例のような意味になるわけです。

⑧ I──I think I'd rather not,

このあとには、どんなことばが省略されているでしょうか。

答 be haunted by Three Spirits

would rather not は **had better not**などと同じく、助動詞に**not**がついた形で、意味は「むしろ〜したくない」です。

では、何をしたくないのでしょうか。

これより前の直近の文には、意味の上で**I**を主体とする個所がありませんが、少し上まで見ていくと、7行前に**You will be haunted by Three Spirits.**という形があります。この**You**はスクルージ自身のことですから、スクルージは**I'd rather not be haunted by Three Spirits.**と言おうと思って、途中まで口にしたというわけです。

受け身の形で、しかもかなり離れているので、見抜きにくいのですが、筋道立てて考えればその答しかありません。もちろんスクルージは半ば無意識に言ったので、訳文にはそのことを明示せず、「そ──それはごめんこうむりたいな」としてあります。

⑨ Look to see me no more; and look that, for your own sake, you remember what has passed between us!

ふたつの**look**に意味のちがいがあるのかどうかに注意して、日本語にしてください。

答 わたしにはもう会えないと思え。ただし、今夜わたしとのあいだにこういうことがあったのを忘れないよう気をつけろよ。おまえのためにだ!

どちらの**look**もただの「見る」ではないのは、すぐわかったでしょう。

前の**look to see**の**look**は、**look to**の形で「〜を期待する」の意味となる他動詞です。命令形なので、ここでは「もう会えないと思え」となります。

あとのlookは that節を従えているので、**look［to it］that** で「～であるよう気をつける、取り計らう」の意味となる形です。see［to it］thatでその意味になることを知っている人も多いでしょう。やや古い用法として、そのseeの代わりにlookを使うことがあります。

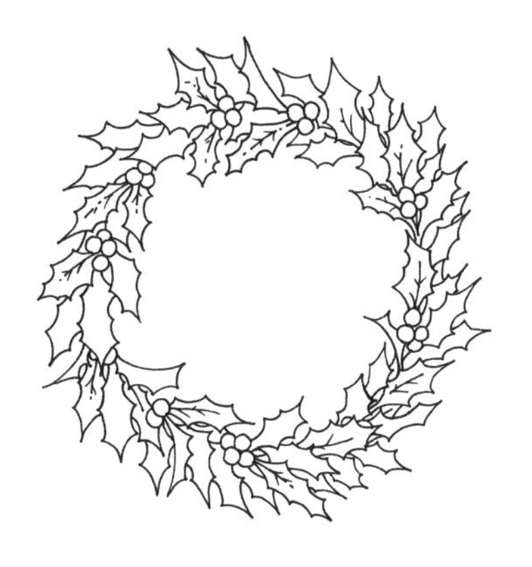

3人の精霊を「深読み」してみると…

藤島 細かいところではまだまだむずかしいことが多かったけど、だんだん慣れてきて、大きな流れをつかみやすくなった気がします。

越前 Google 翻訳なんかを使わずに、ていねいに調べるようになったのが大きいんじゃないかな。

沖田 わたしはキリスト教系の中高にいたんで、①のあたりの話はだいたい知ってました[➜P.114]。でも、この機会に東方の三博士のことをよく調べてみたら、その三博士って、それぞれが青年・壮年・老人の姿をしていたという伝承があると書いてあったんです。これって、ひょっとして、このあとに出てくる過去・現在・未来の3人の精霊に影響を与えてたりしますか？

越前 精霊たちの原型となってるかどうかということだね。断言はできないけど、ディケンズがそれを意識していた可能性は高いと思うよ。一般に3は聖なる数とされていたから、ただの偶然かもしれないけど、精霊たちが登場する直前に、スクルージを導く者が登場することを象徴的に暗示するために、マーリーの台詞のなかに組みこんだとしてもおかしくない。

蒔岡 そもそも、マーリーがなんのために幽霊になって現れたのかが疑問だったんですけど、今回、贖罪ということばが出てきたので、ああ、そういうことだったのかと納得しました。ただこわいだけの幽霊じゃないんですよね。

藤島 この時代の小説を読むとき、そういうことまで考えなきゃいけないんですか？

越前 ディケンズの作品は、19世紀としては宗教的な色合いが薄いものが多いけど、『クリスマス・キャロル』はイエスの誕生を祝う日の話だから、それは避けて通れないだろうね。**ちょっと深読み**

が過ぎるぐらいでちょうどいい。ただ、そういうことを抜きにして、純粋にエンタテインメントとして楽しんでも、それはそれでなんの問題もないと思うよ。

“Thank’ee!”って、ほんとうに感謝しているの？

沖田　深読みしてもかまわないってことなんで、ひとつ質問です。22行目でスクルージがマーリーに“**You were always a good friend to me,**”と言ったあと、“**Thank’ee!**”と付け加えてますね［➜P.110］。ここって、スクルージはほんとにありがたいと思ってるんでしょうか。あのスクルージが素直に感謝するなんて思えないんですけど。

蒔岡　それ、わたしも思った。だから**Thank’ee**なんて変な言い方してるんじゃないかって。「ありがとう」じゃなくて「アリが十匹」って訳そうかと思ったくらい。

越前　親父でもないのに、それは前回のことば遊びを引きずりすぎだな。**Thank’ee**について調べてみたけど、これは19世紀半ばごろに特によく使われた表現で、ディケンズのほかの作品でもけっこう見られる。『クリスマス・キャロル』にもあと2回出てきて、そこはどちらも心から感謝してる場面だ。ちょっとくだけた響きはあるだろうけど、それ以上のものじゃないと思う。せいぜい「ありがとよ」だな。

ただ、たしかにスクルージが急にいい子になるのも違和感があるから、自分の訳は「ありがとう」じゃなくて「感謝するよ」にしてみた。ちょっと距離を置くというか、判断を保留する感じかな。で、そのあと、与えてもらえる機会と希望が3人の精霊の来訪だと知って、げんなりするわけだ。

藤島 細かいことをひとつ質問させてください。スクルージの名前って、ネットで調べると「エベニーザ」なんですけど、先生の訳では「エベニーザー」です。これはどうしてですか。

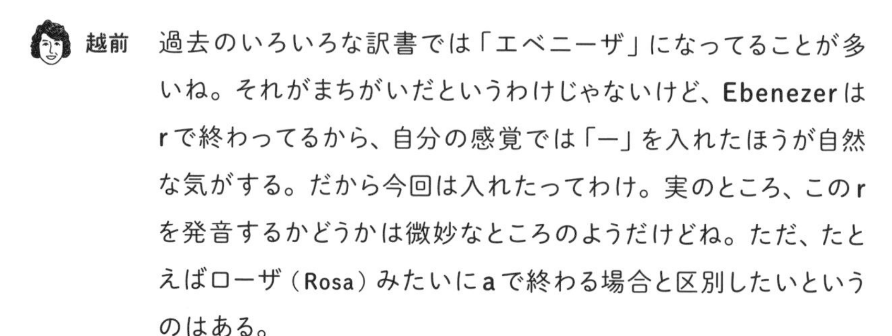

越前 過去のいろいろな訳書では「エベニーザ」になってることが多いね。それがまちがいだというわけじゃないけど、**Ebenezer**は**r**で終わってるから、自分の感覚では「ー」を入れたほうが自然な気がする。だから今回は入れたってわけ。実のところ、この**r**を発音するかどうかは微妙なところのようだけどね。ただ、たとえばローザ（Rosa）みたいに**a**で終わる場合と区別したいというのはある。

蒔岡 翻訳の世界ではよく言われますけど、**computer**は技術系の文章だと「コンピュータ」で、文芸系の文章だと「コンピューター」になることが多いですね。

越前 「プリンタ」と「プリンター」もだね。ぼくは文芸系の仕事以外をほとんどしないから、「ー」がないのはちょっと気持ち悪いな。

難解な文は、まず文法からじっくり考えよう

藤島 文法の質問です。⑤の **I have sat invisible...** がSVCだってのが、ちょっとよくわからなくて［→P.116］。「見えないようにすわっていた」だから、**invisible**が**sat**にかかってると思います。どうして**invisible**がC（補語）なのか。

越前 いま「かかってる」と言ったけど、かかる、つまり**修飾するということなら、動詞にかかるのは副詞じゃなきゃいけない。** **invisible**の品詞は何かな？

藤島 あ、そうか。形容詞だ。

越前 そう。副詞なら**invisibly**という形になってなきゃいけない。こ

の場合は、そもそも**I am invisible.**という文がありうるんだから、本質的に**I ≒ invisible**という関係が成り立ってる。だから修飾語じゃなくて補語なんだ。ただ、大事なのは文法用語じゃなくて、その**A ≒ Bの関係が成り立ってることを体感する**ことなんだけどね。

藤島　ちょっとむずかしいけど、だいたいわかりました。

沖田　わたしも文法がらみでひとつ。⑧であとに何が省略されてるかって話ですけど、わたしは何も考えずに読んでいって、「精霊が3人も来るなんてとんでもない」とすぐにわかりました［➔P.118］。こういうときも、わざわざ7行前までさかのぼって確認したほうがいいんですか。

越前　いま「何も考えずに」と言ったけど、実際には、無意識のうちに**be haunted by Three Spirits**が記憶に染みこんでいたんだと思うよ。だから、今回はさかのぼって確認する必要はなかったんだが、もっとこみ入った文や難解な内容の文になったとき、**it**は何を指しているとか、ここは何が省略されているとか、関係代名詞の先行詞は何かとか、基本的な問いかけが必要になるんだ。

　翻訳の仕事をしていると、自分の不得意なジャンルの文章や、大ざっぱにしか理解できない文章なんかを訳さなきゃいけないことがあるんだけど、そういうときに**最後のよりどころになるのは、文法的な知識に基づいてゆっくり考えること**だ。だから、ときどきこんなふうに問いを立てて訓練するのはいいことだと思う。

藤島　ぼくは⑧の質問に答えるつもりで考えて、はじめて意味がわかったんで、いいヒントになりました。少しずつわかってきて、うれしいです。

『クリスマス・キャロル』
こぼれ話

前回は『クリスマス・キャロル』を原作とする映画の話をしましたが、今回は『クリスマス・キャロル』をヒントとして作られた、ちょっと変わった映像作品をいくつか紹介しましょう。

〈Merry Christmas! ～ロンドンに奇跡を起こした男～〉(2017年、バハラット・ナルルーリ監督)は、『クリスマス・キャロル』を執筆するディケンズ自身を主人公にした作品です。原題は **"The Man Who Invented Christmas"**(クリスマスを発明した男)で、この意味については第1講の「こぼれ話」に書きました。タイトルは原題のままのほうがよかった気もします。執筆に行きづまったディケンズが、いつしか現実と幻想の境界が曖昧になって、妄想のなかのスクルージといっしょに物語を生み出していくという、不思議な味わいの作品です。スクルージ役は、2021年2月に死去した名優クリストファー・プラマー。『クリスマス・キャロル』がどんないきさつで書かれたかがよくわかり、深いところまで理解する一助になるのは確実です。

第3講の勉強会で藤島くんが話していた〈3人のゴースト〉(リチャード・ドナー監督、1988年)は『クリスマス・キャロル』を現代を舞台としてアレンジしたもので、原題は **"Scrooged"**。ビル・マーレイ演じるわがままなテレビ局の社長を主人公とするコメディで、マーレイが随所でスクルージを思わせる台詞を口にしながらも、幽霊が前社長だったり、3人の精霊がどれも変人っぽかったり、微妙なちがいを楽しめます。テレビ局の目玉企画として『クリスマス・キャロル』のドラマ版を撮っているという設定であり、その二重構造のおもしろさが光る作品です。

〈ディケンジアン〉は2015年にBBCで制作された全20話のテレビドラマです。タイトルから想像できるとおり、これはディケンズの数々の名作に登場する主役・脇役たちを集めて再構成したオリジナル作品です。マーリーの殺害事件をバケット警部(『荒涼館』)が捜査していくというのが物語の本筋で、スクルージや事務員ボブ・クラチットも登場します。ディケンズのほかの作品の登場人物も多く活躍しますが、それぞれの作品を読んでいなくてもじゅうぶん楽しめますし、むしろそれらの作品を読む足がかりとしてもお勧めできるドラマです。

〈コッポラの胡蝶の夢〉(2007年、フランシス・フォード・コッポラ監督)は、ミルチャ・エリアーデの幻想小説『若さなき若さ』を原作とした映画ですが、『クリスマス・キャロル』に触発されたところが多く見られます。気むずかしい老言語学者が落雷に打たれたのを機に突然若返り、時空を超えた旅に出て、その先々で出会う人間や出来事に影響を受けながら、生きることの意味を再発見するという流れはほぼ同じですが、一段と深く重厚な味わいがある。いわば、もうひとつの『クリスマス・キャロル』として、これもお勧めの作品です。

Lecture 5

第5講

"*Good Heaven!" said Scrooge, *clasping his hands together, as he looked about him. "I was bred in this place. I was a boy here!"

The Spirit gazed upon him mildly. ①*Its gentle touch, though it had been light and *instantaneous, appeared still present to the old man's sense of feeling. He was conscious of a thousand odours floating in the air, ②each one connected with a thousand thoughts, and hopes, and joys, and cares long, long, forgotten!

"Your lip is trembling," said the Ghost. "And what is that upon your cheek?"

③Scrooge muttered, with an unusual catching in his voice, that it was a *pimple; and begged the Ghost to *lead him where he would.

"You recollect the way?" inquired the Spirit.

"*Remember it!" cried Scrooge with *fervour; "I could walk it *blindfold."

"Strange to have forgotten it for so many years!" observed the Ghost. "Let us go on."

They walked along the road; Scrooge recognising every gate, and ④post, and tree; until a little market-town appeared in the distance, with its bridge, its church, and

スクルージのもとに過去の精霊が現れ、ふたりで過去へさかのぼりはじめた場面です。精霊はthe Spiritともthe Ghostとも呼ばれています（あらすじ11ページ1〜5行）。**下線部①〜⑧について、問いに答えてください。**

① これは第何文型の文でしょうか。また、最後のfeelingはどんな意味でしょうか。

② 後半でandが何度も使われていることやcaresの意味に注意して、日本語にしてください。

③ catchingの意味をよく考えて、日本語にしてください。また、この個所はスクルージのどんな様子を表していますか。

④ ここではどんな意味でしょうか。

［注釈］

L.01 **Good Heaven(s)!** 驚きを表すことば　**clasp** しっかり握る

L.04 **Its gentle touch, ...** この個所の少し前に、精霊がスクルージの心臓の上に手をあてる場面がある。

L.05 **instantaneous** 一瞬の　L.13 **pimple** にきび、吹き出物

L.14 **lead him where he would** 精霊はitで受けるので、この he はスクルージ。このあとに省略されているのは lead himselfと考えられる。あるいは、古い英語でwouldがwishの意味の動詞として用いられることがあり、ディケンズの他作品にも見られるので、これもそのwouldである可能性もある。いずれにしても、意味は「(スクルージの) 望むところへ導く」。

L.16 **Remember it!** 命令文ではなく、興奮のあまり、主語のIが省略された文。

L.16 **fervour** 熱情、熱意。米語では fervor。　L.17 **blindfold** 目隠しをして

winding river. Some *shaggy ponies now were seen
*trotting towards them with boys upon their backs, who
25 called to other boys in country *gigs and *carts, driven
by farmers. ⑤All these boys were in great spirits, and
shouted to each other, until the broad fields were so full
of merry music, that the crisp air laughed to hear it.

"⑥These are but shadows of the things that have
30 been," said the Ghost. "They have no consciousness of
us."

⑦The *jocund travellers came on; and as they came,
Scrooge knew and named them every one. ⑧Why was he
*rejoiced *beyond all bounds to see them! Why did his
35 cold eye *glisten, and his heart leap up as they went
past! Why was he filled with gladness when he heard
them give each other Merry Christmas, as they parted at
cross-roads and *bye-ways, for their several homes!
What was merry Christmas to Scrooge? Out upon merry
40 Christmas! What good had it ever done to him?

⑤ なるべく英文に書かれている順序どおりに日本語にしてください。

⑥ butの意味に注意して、日本語にしてください。

⑦ jocund以外にむずかしい単語はありませんが、誤訳する人がかなりいる文です。日本語にしてください。

⑧ この6つの文には、語り方にどんな特徴があるでしょうか。このような語り方の呼び名を知っていたら答えてください。

［注釈］

L.23 **shaggy** 毛並みの乱れた、たてがみのふさふさした　L.24 **trot** 速足で駆ける

L.25 **gig** 二輪馬車　**cart** 荷車　L.32 **jocund** 陽気な、楽しげな

L.34 **rejoice** 喜ぶ　**beyond all bounds** 限界を超えて、非常に

L.35 **glisten** きらめく　L.38 **bye-way** 脇道（=byway）

「なんだ、これは！」スクルージは両手を組み合わせて、周囲を見まわした。「ここはおれの育ったところだ。少年時代をここで過ごしたんだ！」

精霊は穏やかにスクルージを見つめた。①**その手はほんの一瞬、軽くふれただけだったが、スクルージの胸にはまだそのやさしい感触が残っていた。**あたりには懐かしい千ものにおいが漂い、②**そのひとつひとつが、とうの昔に忘れていた千もの思い、そして希望、そして喜び、そして不安と結びついている。**

「唇が震えている」精霊は言った。「頬についているものはなんだ」

③**スクルージはいつになく声を詰まらせて、吹き出物だよ、と小声で言った。**そして、望むところへ連れていってもらいたいと精霊に頼んだ。

「この道を覚えているか」精霊は尋ねた。

「覚えてるとも！」スクルージは興奮気味に叫んだ。「目隠ししたって歩けるさ」

「それを何年も忘れていたというのは不思議な話だな」精霊は言った。「さあ、行こう」

ふたりは道を歩いていった。門、④**標柱**、木、どれも見覚えがあるものばかりだ。やがて、遠くに小さな市場町が現れ、橋や教会や曲がりくねった川が見えた。ふたりに向かって毛並みの乱れたポニーが何頭か駆けてきた。背中に少年たちが乗っていて、大声でまわりに呼びかけている。相手は農民の走らせる田舎くさい二輪馬車や荷車に乗ったほかの少年たちだ。⑤**みな潑剌（はつらつ）として叫び合ったので、広大な畑はやがて楽しい音楽でいっぱいになり、凛とし**

た空気までもがそれを聞いて笑いだした。

「⑥**これは昔あった物事の影にすぎない**」精霊は言った。「われわれがここにいることは、あの子たちにはわからないのだよ」

⑦**陽気な一行はこちらへ近づいてきた。近くで見ると、ひとり残らず知っている顔で、名前まで覚えていた。** ⑧**この子たちに会えたことが、こんなにもうれしくてたまらないのはなぜだろう。みんなが通り過ぎていくなか、冷たい目がきらめいて、胸躍る気持ちになるのはなぜだろう。めいめいの家路に就く子供たちが、四つ角や脇道での別れ際にメリー・クリスマスと呼びかけ合うのを聞いて、心が喜びで満たされるのはなぜだろう。自分にとって、クリスマスとはなんなのか。メリー・クリスマスなど、くたばっちまえ！　よいことなど何ひとつなかったじゃないか。**

① Its gentle touch, though it had been light and instantaneous, appeared still present to the old man's sense of feeling.

これは第何文型の文でしょうか。また、最後の**feeling**はどんな意味でしょうか。

答 第2文型（SVC）、触覚

注釈にも書いたとおり、これは直前の個所で精霊がスクルージの胸にふれたことを受けての文です。**though**から**instantaneous**まで、ふたつのカンマに囲まれた個所は従属副詞節（意味は「それ（＝**its touch**）は軽くて一瞬だったにもかかわらず」）なので、とりあえずはずすと、主節は

Its gentle touch appeared still present to the old man's sense of feeling.

となります。**appear**は「現れる」という意味にもなりますが（その場合はSVの第1文型）、ここでは 後ろに形容詞**present**があるので、**seem**などと同じく、「～のようだ」という意味で、文としては第2文型（SVC）です。第4講の⑤でも少しふれたように、この文型の文の特徴は**S=Cの関係が原則として成り立つ**こと、言い換えれば、**その位置にbeを置き換えても意味が通る**ことです。この場合は、**was**を入れても

Its gentle touch **was** still present to the old man's sense of feeling.

そのやさしい手ざわりは、スクルージの感覚にまだ存在していた（残っていた）。

となって、意味が通りますから、そこに推量（ようだった）の意味合いが加わっただけということになります。

最後の**sense of feeling**については、**sense**と**feeling**が同じ意味に思えるかもしれませんが、この **feeling**は「触覚」「皮膚感覚」の意味にとるべきです。**the sense of sight**は「視覚」、**the sense of hearing**が「聴覚」、**the sense of feeling**（**the sense of touch**）が「触覚」です。

なお、主語Its gentle touchのItsは「精霊の」ですから、**精霊をheでもsheでもないitで受けている**ことに注意してください。そのことは、このあとの部分の読解にもかかわってきます。

② each one connected with a thousand thoughts, and hopes, and joys, and cares long, long, forgotten

後半でandが何度も使われていることやcaresの意味に注意して、日本語にしてください。

答 そのひとつひとつが、とうの昔に忘れていた千もの思い、そして希望、そして喜び、そして不安と結びついている

この文の前半が主節なので、この個所は**each oneを意味上の主語とする分詞構文**だと言えますが、訳すときは前半に追加して「それぞれが〜結びついている」のようにしてかまいません。ここでは、意味や形のバランスから考えて、**thoughts**、**hopes**、**joys**、**cares**の4つが並び、その全体に前から**a thousand**が、後ろから**long, long, forgotten**がかかっている（ずっと前に忘れられた千もの〜）と見なすことができます。

ふつう、4つのものが並ぶときは、**A, B, C（,）and D**の形になりますが、ここでは**BとCとDのすべての前にandがつく、ちょっと変な形**になっています。こうなっているのは、**4つのものひとつひとつをゆっくり噛みしめるように語っているから**だと考えられます。ここを音読した場合、それぞれの**and**の前でゆっくりと息継ぎをし、思い入れたっぷりにそのあとの**long, long, forgotten**までを読んでいくことになるはずです。訳文はそのことを踏まえて、それぞれのあいだに「そして」を入れました。

caresは「世話」や「心づかい」だと思った人もいるかもしれませんが、複数形ですから**可算名詞（数えられる名詞）であり、その場合の意味は「心配事、不安」**です。意味から考えても、子供のころの話ですし、並んでいる語が**thoughts**と**hopes**と**joys**という、自分自身をそのまま表出したことばなので、「世話」や「心

づかい」のように他者へ働きかける意味のことばを使うことには違和感があります。

③ Scrooge muttered, with an unusual catching in his voice, that it was a pimple;

catchingの意味をよく考えて、日本語にしてください。また、この個所はスクルージのどんな様子を表していますか。

答 スクルージはいつになく声を詰まらせて、吹き出物だよ、と小声で言った。子供のころを思い出して涙をこぼしてしまったが、精霊にそれを感づかれたくなくて、ごまかそうとしている。

catchにはいろいろな意味がありますが、くわしい辞書には「声を詰まらせる」などと載っています。つまり、**スクルージは早くも泣きはじめていた**のです。この前の個所で精霊が「唇が震えている」「頬についているものはなんだ」と問うたのは、スクルージの頬に涙がひと粒見えていたからでしょう。しかし、それを認めたくないスクルージは、吹き出物だと言ってごまかそうとしました。もちろん、精霊はすべて最初からお見通しだったはずです。

④ post

ここではどんな意味でしょうか。

答 標柱

postにはいろいろな意味があります。

まず、**postが「郵便ポスト」の意味になることはほとんどなく**、ふつうは集合的に「郵便物」や「郵便制度」を指します。また、イギリスで近代郵便制度ができたのはこの作品が書かれたのとほぼ同時期の1840年なので、回想シーンであるスクルージの子供時代に郵便ポストがそこかしこにあったはずがありません。

つぎに、「柱」という訳は正しいのですが、町にたくさんある柱はどんなものでしょうか。電柱はこの時代にはまだ存在しなかったし、現代でも欧米の都市部にはほとんどありません。となると、最も可能性が高いのは、標識や道案内などが記されている標柱だということになります。

⑤ All these boys were in great spirits, and shouted to each other, until the broad fields were so full of merry music, that the crisp air laughed to hear it.

なるべく英文に書かれている順序どおりに日本語にしてください。

答 みな潑剌として叫び合ったので、広大な畑はやがて楽しい音楽でいっぱいになり、凛とした空気までもがそれを聞いて笑いだした。

in great spiritsは「上機嫌で、元気いっぱいに」という意味で、**in good spirits**や**in high spirits**などとも言います。

中ほどにある**A, until B**の形は受験英語でもおなじみですが、要はAが起こり、そのあとでBが起こったのですから、**A, and Bと書いてあるのと大筋では同じ**です。「BになるまでA」のようにひっくり返して訳すのではなく、「A、そしてB」や「A、やがてB」のように、時間の経過がそのままわかるように訳すほうがいいです。同じ形が21行目にも出てきますが（**..., and tree; until a little market-town ...**）、そこも同じように考えてください。

後半は有名な**so... that... の構文**なので、問題なく読みとれた人が多いでしょう。ここも英語の順序どおり、左から右へ訳していきます。

crispは訳しづらいことばですが、**air**を形容しているので、「すがすがしい」「ひんやりした」など。

また、細かいことに感じられるかもしれませんが、これは文学作品なので、最後の**laughed**のあたりは、「空気が笑った」と、「ように」などのことばを入れずに訳すべきところです。これを「空気が笑うかのようだった」などとすると、かなり印象が異なって、作者の意図が正確に伝わらなくなります。比喩の種類で言うと、前者を**隠喩**（**metaphor**）、後者を**直喩**（**simile**）と言います。**simile**は第1講の⑥でも扱いました（**as dead as a door-nail**）［➜P.51］。

⑥ These are but shadows of the things that have been,

butの意味に注意して、日本語にしてください。

答▸ これは昔あった物事の影にすぎない

現在、butは逆接の接続詞（「しかし」）以外の形ではあまり使われませんが、少し古い英文になると、ほかの用法がいくつかあります。この本にはすでに、**that... not**の意味になる場合（第1講、本文23行目注釈 ➔P.45）、**except**の意味の前置詞、もしくはそれに近い意味の接続詞や関係代名詞（第2講、⑧解説 ➔P.75）が出てきましたが、もうひとつ、よく見られたのがこの英文のように**onlyとほぼ同じ意味になる場合**です。現代でも硬めの英文でたまに見かけます。

最後の**have been**は、過去形の**were**にしても大きく意味が変わるわけではなく、**the things that have been**は「かつて存在していたさまざまなもの」ということです。**have been**を使うことによって、「現在もある」（いまも生きている）という含みが感じられるので、「存在してきた」などと訳す手もあります。

⑦ The jocund travellers came on; and as they came, Scrooge knew and named them every one.

jocund以外にむずかしい単語はありませんが、誤訳する人がかなりいる文です。日本語にしてください。

答▸ 陽気な一行はこちらへ近づいてきた。近くで見ると、ひとり残らず知っている顔で、名前まで覚えていた。

まず、多くの人が**travellers**を「旅人」「旅行者」と訳しますが、それでいいでしょうか。この**travellers**が指しているのは2段落前に出てくる子供たちと、彼らが乗っているポニーや二輪馬車や荷車のことですね。

traveller（米語では**traveler**）を『ランダムハウス英和大辞典』で引くと、「動きの速いもの（車、荷引きの馬）」という語義があります。また、**travel**を**Longman Dictionary of Contemporary English**（LDOCE）で引くと、**to go a particular distance or at a particular speed**とあります。つまり、「旅人」「旅する」よりも意味が広く、「移動者」「移動する」程度のこともあるということですね。そんなことを踏まえて、わたしの訳は「一行」としてあります。

後半の**knew and named them every one**は、その場で知ったり名づけたりしたのではなく、全員をもともと知っていて、名前を覚えていた（心のなかで名前を呼んだ）ということです。ここは、2段落前の内容を読みとれていれば自然にそのように訳せたでしょう。

⑧ Why was he rejoiced beyond all bounds to see them! Why did his cold eye glisten, and his heart leap up as they went past! Why was he filled with gladness when he heard them give each other Merry Christmas, as they parted at cross-roads and bye-ways, for their several homes! What was merry Christmas to Scrooge? Out upon merry Christmas! What good had it ever done to him?

この6つの文には、語り方にどんな特徴があるでしょうか。このような語り方の呼び名を知っていたら答えてください。

答 スクルージの心のなかのことばが、He said that... やHe thought that... などを使わずに、間接話法のまま地の文に埋めこまれている。
描出話法（中間話法、自由間接話法）

受験英語にはほとんど出てきませんが、小説では現代も含めて非常によく見られる形なので、ここで簡単に説明します。

「描出話法」は心のなかを描き出すから、「中間話法」は直接話法と間接話法の中間だから、「自由間接話法」は間接話法でありながら自由なルールで使われるからそう呼ばれていて、**3つはほぼ同じ意味**と考えてかまいません。

直接話法・間接話法とは、たとえば以下のような英文の形式を指します。

He said, "I'm hungry." ［直接話法］
He said (that) he was hungry. ［間接話法］

上は実際に口に出して言った場合ですが、**thought**などを使えば、心のなかのことばについて、同じように直接話法・間接話法の文ができます。あとに疑問文が来る場合は、伝達動詞が**asked**で、間接話法のときはあとが**if**節となります。

小説などでは、ひとりの登場人物の発話や心情の描写がつづくとき、いちいちその**say**や**think**や**ask**を繰り返すとくどいので、その部分を省略して

Pam was worried about Tom. Had he perhaps contacted her?

のように、**時制の一致や代名詞の選び方は間接話法のルールのままで、台詞や心のなかの声を地の文として書く**ことがとても多くあります。

これを日本語にするのは、慣れていないとちょっとむずかしいのですが、原則として、後半の文を直接話法のつもりで訳すと、だいたいうまくいきます。その際、**なるべく代名詞を使わずに処理する**と、より小説らしい訳文になります。

パムはトムを心配していた。ひょっとして、連絡してきたの？

2文目のような訳文は、伝達動詞を使わず、「 」でくくることもせずに直接話法を使っているので、「**自由直接話法**」と呼ばれることもあります。つまり、英語の自由間接話法の文は、日本語では自由直接話法で訳すとたいがいぴったり決まります。

さて、この作品の6つの英文と訳文をセットにして並べてみましょう。すべてスクルージの心のなかの声なので、英文を直接話法に変えたものを同時に載せます。

Why was he rejoiced beyond all bounds to see them!
➡ Why **am I** rejoiced beyond all bounds to see them!
この子たちに会えたことが、こんなにもうれしくてたまらないのはなぜだろう。

Why did his cold eye glisten, and his heart leap up as they went past!
➡ Why **does my** cold eye glisten, and **my** heart leap up as

they **go** past!
みんなが通り過ぎていくなか、冷たい目がきらめいて、胸躍る気持ちになるのはなぜだろう。

Why was he filled with gladness when he heard them give each other Merry Christmas, as they parted at cross-roads and bye-ways, for their several homes!

➡ Why **am I** filled with gladness when **I hear** them give each other Merry Christmas, as they **part** at cross-roads and bye-ways, for their several homes!
めいめいの家路に就く子供たちが、四つ角や脇道での別れ際にメリー・クリスマスと呼びかけ合うのを聞いて、心が喜びで満たされるのはなぜだろう。

What was merry Christmas to Scrooge?

➡ What **is** merry Christmas to **me**?
自分にとって、クリスマスとはなんなのか。

Out upon merry Christmas!

➡ Out upon merry Christmas!（変更なし）
メリー・クリスマスなど、くたばっちまえ！

What good had it ever done to him?

➡ What good **did** it ever **do** to **me**?
よいことなど何ひとつなかったじゃないか。

心のなかの声がつづいているように感じられたでしょうか。

4番目の文には固有名詞の**Scrooge**がありますが、スクルージの心の声に本人の名前が現れるのは変なので、そこは「自分にとって」と訳しました。ここは「おれにとって」としてもいいところですが、もともとの英文が完全な直接話法ではないので、ちょっと客観的な「自分」にするほうが地の文にうまく溶けこむと思います。

この話法について知らなかった人は、今後小説を読むときに注意してみてください。非常に多くの作品、いや、**ほぼすべての作品で見かける**はずです。

比喩にもいろいろあるとわかってきた

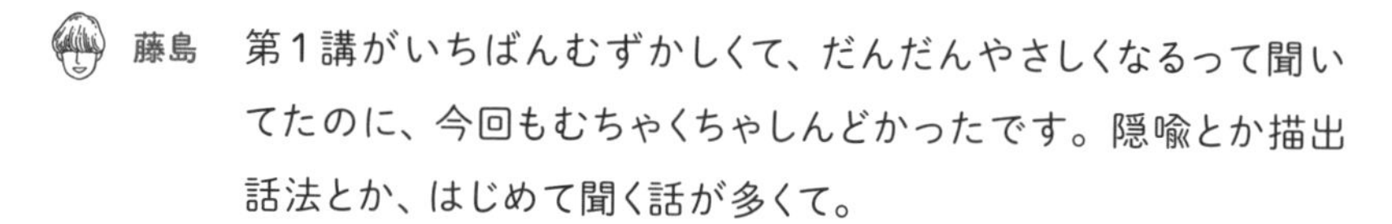

藤島　第1講がいちばんむずかしくて、だんだんやさしくなるって聞いてたのに、今回もむちゃくちゃしんどかったです。隠喩とか描出話法とか、はじめて聞く話が多くて。

沖田　わたしは隠喩のほうをなんの迷いもなく「笑うかのようだった」と訳したんで、説明を聞いてびっくりしました。そういうことも翻訳では大事なのかって。

越前　「翻訳で大事」以前に、文学作品を読むときに大事なんだけどね。日本語の作品を読む場合だって同じだよ。

沖田　描出話法のほうは、前に英語の小説を読んだとき、だれの立場なのかはっきりしないなって感じたところがあったんですけど、いま思えばそこがそうだったんだなって、わかりました。

蒔岡　わたしは隠喩も描出話法もいちおう知っていました。ただ、直喩と隠喩って、ときどきどっちがどっちだかわからなくなってしまうんですよね。

越前　呼び名なんかどうだっていいと思うよ。**likeや「ような」がつくほうとつかないほう**、をしっかり区別できてればじゅうぶんだ。

藤島　でも、なんか変な感じですね。likeがついてないほうが直接っぽいから、直喩と呼ぶほうがいいんじゃないですか。

越前　likeなんかをつけて、比喩であることを明示するから直喩なんだ。隠喩のほうは、likeがなくてすぐには比喩だとわからないから隠喩。

沖田　なるほど、でも、すぐ忘れちゃいそう。

越前　直喩と隠喩のほかに、**換喩（metonymy）**ってのもある。たとえば、

「ディケンズを読んだ」って聞いても、だれも変だと思わないけど、読んだのはディケンズという人物じゃなくて、ディケンズという作家の書いた作品だよね。そういうのって、無意識に使ってて、英語にも日本語にもたくさんある。「手が足りない」なんてのも、ほんとうに足りないのは手そのものじゃなくて、これは「労働力」の比喩だね。

 **藤島** うわっ、まだ覚えなきゃいけないのか。

 **越前** 隠喩にしても換喩にしても、英語のまま「ような」抜きで訳すのが原則だけど、日本の読者がまったく理解できない場合はそのかぎりじゃない。ただ、**文学作品を読む楽しみのひとつは、自分が思いつきもしない比喩に出会うこと**だから、できるかぎり作者の意図に従ってもらいたいんだ。

「違和感」こそ、作品を読み解くヒント

 蒔岡 描出話法の個所について、細かいことをひとつ質問させてください。先生の訳文でだいたいすんなり頭にはいってくるんですが、2文目の**cold eye**ってところがちょっと気になって［➜P.137］。この6つの文全体がスクルージの心のなかだとしたら、スクルージ自身が**cold**なんてことばを使うのは変じゃないでしょうか。

 **越前** スクルージの視点にはそぐわないってことかな？

 蒔岡 はい。

 **越前** そう、厳密にはそのとおりだね。ただ、これだけ連続して地の文にスクルージの心の叫びを織りこんだものだから、語り手のことばが少しまぎれこんだんじゃないかな。描出話法ではときどきこういうことがある。あまりに似つかわしくないことばだったら、訳すときに視点人物寄りのことばにしたり、ときには抜いてしまっ

たりするけど、ここはスクルージ自身がみずから冷酷な人間だと認めていてもおかしくないから、そのまま訳して問題はないと思う。
　ところで、③のところだけど［➜p.134］、要するにスクルージが泣いてるんだってことはわかったかな。

藤島　わかりませんでした。

蒔岡　わたしも思いつきませんでした。なぜ急に吹き出物だかニキビだかの話をするのか、変だなあと思っただけで。

越前　**違和感がヒントになる**って話はたびたびしてきたよね。

蒔岡　……はい。

越前　沖田さんはわかったんじゃないかな。

沖田　すぐわかりました！ やっぱり、スクルージって、かわいいなって。まだ最初の精霊の最初のほうなのに、もう泣きだしちゃうし。

越前　ここは訳文を読んでも、一部の人にはわかってもらえないかもしれない。catchingを「声を詰まらせて」としたから、それで気づいてくれる人が多いだろうけど。

蒔岡　逆に、わたしは泣いていると思わなかったので、catchを調べても「声を詰まらせる」を選べませんでした。よくわからなくて「口ごもりながら」にしたんです。

越前　**ある程度予想しながらじゃないと、調べるときも苦労する**ってことだね。おもしろいのは、第3講の駄洒落でぼくが「やられた！」と降参した春風社版では、この直前の精霊の問いかけ（"And what is that upon your cheek?"）を「君の頬に光るものは何だい？」と訳してるってことだ。

沖田　すごい！ 前の文にヒントを入れるんですね。

藤島 そうしてもらえたら、ぼくにもわかったと思います。

“it”で受けている精霊の性別は…?

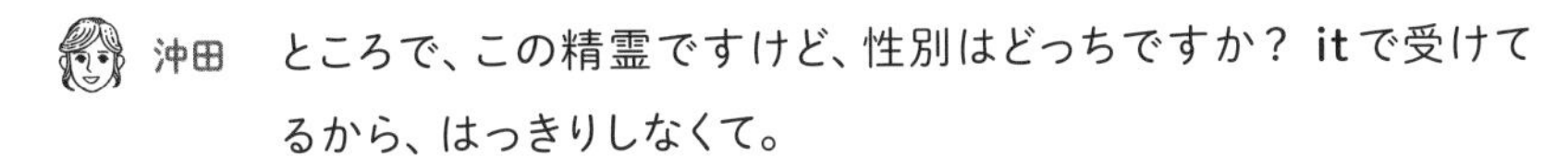

沖田 ところで、この精霊ですけど、性別はどっちですか? itで受けてるから、はっきりしなくて。

藤島 ぼくが観た3Dアニメの映画では、過去の精霊はふわふわしたかわいいおばけで、男とも女とも言えない感じでした。

蒔岡 わたしが観た少し前の実写版では、女の人。

沖田 わたしはディズニーの〈ミッキーのクリスマス・キャロル〉を観たんですけど、それだと過去の精霊はジミニー・クリケットです。〈ピノキオ〉に出てくるコオロギ。だから男だったことになります。

越前 そう、itだからどっちでもいいわけだ。穏やかなキャラクターってところは共通してるけどね。ぼくは角川文庫版を訳したとき、男にしたんだ。そうしたのは、つぎの現在の精霊が出てきたとき、スクルージがbrothersの数を尋ねる個所があるからだ。それなら、3人の精霊はすべて男と見なすのが筋じゃないかと思ってね。実際には、英語ではずっと性別不明の感じで書かれてるんだけど、翻訳する場合は、このあと精霊の台詞がいくつもあるから、どちらかを選ばないと処理がむずかしいという事情もある。

藤島 探すとどんどんむずかしい問題が出てくるんですね。でも、今回のpostは正解できましたよ。第2講のlettersで痛い目に遭ったから、今回はていねいに調べて、郵便制度の歴史も、ふつう郵便物という意味になることもわかりました。

越前 着実に進歩してるね。

 藤島　ありがとうございます。

 沖田　わたしはcaresでやられちゃいました。思いこみってこわいですね。

 越前　people（人々）とpeoples（国民、民族）なんかもそうだけど、**あまり複数形を見かけないものが複数形のときなんかは要注意**だね。

“Remember it!”は命令文じゃないの??

 藤島　ひとつ、ちょっと納得できなかったところがあります。16行目の“Remember it!”ってスクルージの台詞ですけど、これは命令文じゃなくて、主語のIが省略されてるという注釈がありました［➡P.127］。でも、そういうのって、どうやって見分けるんですか？命令文とまったく同じ形なのに。

 越前　会話やそれに準ずる形以外の文では、ほとんどありえない気がするな。なんというか、文脈から判断するしかないんだけど、注釈にも書いたように「興奮のあまり」そんなふうになることがたまにあるんだ。その場合、読者も同じように感情移入してるから、不自然には感じない。今回のケースでは、前の文でrecollectするかどうか尋ねてて、recollectとrememberはほぼ同じ意味だから、質問の答ならIが省略されるのは自然に受け入れられるんだ。とにかく、**小説の英文をたくさん読みこめば、そのあたりの勘は身についてくる**から、心配しなくていいよ。

 藤島　だといいんですけど。果てしなく長い道のりだな。

 越前　そんなことないさ。この5回の勉強会だけで、ずいぶん進歩してる。

 蒔岡　これで勉強会も半分終わりましたね。

 **越前**　そうだね。沖田さんの大好きなスクルージだけど、早くも泣いてる割には、このあともなかなか陥落しないよ。ただ、前も言ったけど、**本物の悪人じゃないってことはじゅうぶん読みとれる。**今回の最後のひとりごとからも、心の葛藤がよくわかるね。

海外の映画やドラマ、わりと好きです。
涙もろいからホラーで泣いちゃうことも。
——Julia

『クリスマス・キャロル』

こぼれ話

チャールズ・ディケンズは1812年にイギリス南部のポーツマスで生まれました。父親は下級官吏で、ディケンズ家は父の転勤に従ってイギリス各地を移動し、チャールズが10歳のとき、2度目にロンドンに移り住みます。このころ、父の借金がかさんだせいで、チャールズは半年近くにわたって靴墨工場での重労働を強いられます。このころのつらい経験が、後年の作品に大きく生かされたと言われています。

その後、中等教育を終えたディケンズは、法律事務所の事務員や法廷速記者として働いたあと、新聞記者の職を得て、少しずつ文才を示していきます。21歳のときにはじめて短編が雑誌に掲載され、ロンドンに住む人々の生活を活写した短編集『ボズのスケッチ集』(ボズは当時のペンネーム)が出版されたのが24歳のときでした。

『オリヴァー・トゥイスト』『ニコラス・ニクルビー』など、若いうちからヒット作を連発したディケンズは、1840年代にはいって作家としてのスランプに陥りますが、1843年の秋におこなった講演をきっかけに思いついて書きあげた中編『クリスマス・キャロル』が絶賛され、販売面でも大成功をおさめます。その後も、クリスマスをテーマにした諸作品や、『デイヴィッド・コパフィールド』『荒涼館』『二都物語』『大いなる遺産』などを発表し、イギリスの19世紀最大のベストセラー作家として大活躍します。

その一方で、雑誌の編集、各地をまわっての朗読会、みずから脚本・演出・主演を担当する素人劇団の運営など、さまざまな方面で才能を発揮します。私生活では、20代前半に結婚した妻キャサリンとのあいだに10人の子をもうけますが、40代半ばの1957年に出会った女優エレン・ターナンに惹かれ、妻と別居して極秘でエレンとの生活をはじめるなど、晩年まで波瀾万丈の生涯を送り、1870年6月、『エドウィン・ドルードの謎』を執筆中に倒れて死去しました。晩年の様子は映画〈エレン・ターナン 〜ディケンズに愛された女〜〉に生々しく描かれています。

ディケンズの作品が初期から大ヒットした原因のひとつとして、月刊分冊の出版形式をとったことがあげられます。当時はまだ、小説は一般大衆には手の届かないほど高価なものでしたが、分冊で単価を安くしたことによって、読者層が一気に広まったようです。月に1度の分冊刊行を待ち焦がれた人々が、発売日には各地の港に列をなしたと言われています。

ディケンズが死去したという知らせが広まったとき、ある子供が父親に「じゃあ、今年からサンタクロースは来ないの?」と言ったという逸話が知られています。実話かどうかは怪しいところですが、それほどまでにイギリス国民に愛された作家だったのはまぎれもない事実です。

Lecture

6

第 6 講

The Ghost stopped at a certain ①warehouse door, and asked Scrooge if he knew it.

"Know it!" said Scrooge. "*Was I *apprenticed here!"

They went in. ③At sight of an old gentleman in ②a Welsh wig, sitting behind such a high desk, that if he had been two inches taller he must have knocked his head against the ceiling, Scrooge cried in great excitement:

"Why, it's old Fezziwig! *Bless his heart; it's Fezziwig alive again!"

Old Fezziwig laid down his pen, and looked up at the clock, which pointed to *the hour of seven. He rubbed his hands; adjusted his *capacious *waistcoat; ④laughed all over himself, from his shoes to his *organ of benevolence; and called out in a comfortable, oily, rich, fat, *jovial voice:

"*Yo ho, there! Ebenezer! Dick!"

Scrooge's former self, now grown a young man, came briskly in, accompanied by his *fellow-'prentice.

"Dick Wilkins, to be sure!" said Scrooge to the Ghost. "*Bless me, yes. There he is. He was very much attached to me, was Dick. Poor Dick! Dear, dear!"

"Yo ho, my boys!" said Fezziwig. "No more work

精霊に連れられて過去へさかのぼったスクルージが、若いころに雇い主だったフェジウィッグと再会する場面です（あらすじ11ページ 16〜20行）。**下線部①〜⑨について、問いに答えてください。**

① 第1講では、この語を「事務所」と訳しましたが、今回はどう訳せばいいでしょうか。今回の範囲の最後まで読んで答えてください。

② どのようなものでしょうか。わからない場合は画像検索してください。

③ 非常に訳しづらい文ですが、2文に分けてもかまわないので、わかりやすい日本語にしてください。

④ なるべく原文に忠実な日本語にしてください。

［注釈］

L.03 **Was I apprenticed here!** 主語と動詞の倒置によって感情の高ぶりを表す形。反語的な表現。
L.03 **apprentice** 徒弟・見習いとして勤める
L.08 **Bless one's heart!**（驚き、感謝などを表して）おやおや、びっくりだ
L.11 **the hour of seven** 7時
L.12 **capacious** 大きい、ゆるい
L.12 **waistcoat** 胴着、ヴェスト
L.13 **organ of benevolence** 頭のてっぺん。当時の骨相学で、頭頂部には慈愛が宿ると考えられていた。organ は「器官」。
L.14 **jovial** 快活な、陽気な
L.16 **yo ho** おーい
L.18 **fellow-'prentice** 仲間の徒弟（'prentice＝apprentice）
L.20 **Bless me.** おやおや

to-night. Christmas Eve, Dick. Christmas, Ebenezer! ⑤ Let's have the shutters up," cried old Fezziwig, with a sharp clap of his hands, "*before a man can say, Jack Robinson!"

25

You wouldn't believe how those two fellows went at it! They charged into the street with the shutters—one, two, three—⑥ had *'em up in their places—four, five, six—*barred 'em and pinned 'em—seven, eight, nine—and came back before you could have got to twelve, panting like race-horses.

30

"*Hilli-ho!" cried old Fezziwig, skipping down from the high desk, with wonderful *agility. "Clear away, my lads, and let's have lots of room here! Hilli-ho, Dick! *Chirrup, Ebenezer!"

35

Clear away! ⑦ There was nothing they wouldn't have cleared away, or couldn't have cleared away, with old Fezziwig looking on. It was done in a minute. Every *movable was *packed off, as if it were dismissed from public life for *evermore; ⑧ the floor was swept and watered, the lamps were trimmed, fuel was heaped upon the fire; and ⑨ the warehouse was as *snug, and warm, and dry, and bright a *ball-room, as you would desire to see upon a winter's night.

40

⑤ ここではどんな意味でしょうか。

⑥ 'em と their が何を指すかに注意して、日本語にしてください。

⑦ would と could のちがいに注意しながら、日本語にしてください。

⑧ trim、fuel、heap などのここでの意味に注意して、日本語にしてください。

⑨ 全体の構文に注意して、日本語にしてください。

［注釈］

L.25 **before a man can say, Jack Robinson** 「あっと言う間に」という意味の決まり文句（なぜこう言うのかは諸説あり）　L.28 **'em**（= them）　L.29 **bar** 閂をかける

L.32 **Hilli-ho!** 励ましのかけ声。いいぞ。　L.33 **agility** すばやさ、敏捷さ

L.35 **chirrup** 鳥のさえずりの声。ここでは Cheer up!（がんばれ）の意味か？

L.39 **movable** 動かせる家具　**pack off** まとめて移動する

L.40 **evermore** 永久に　L.42 **snug** 小ぎれいな、心地よい　L.43 **ball-room** 舞踏室

精霊はある①**大商店**のドアの前で立ち止まり、スクルージに知っているかと尋ねた。

「知ってるさ!」スクルージは言った。「ここの見習いだったんだから!」

ふたりは中へはいった。②③**毛糸の帽子をかぶった老紳士が机に向かっていたが、ずいぶん高い机だったので、紳士の背があと5センチ高ければ、天井に頭をぶつけていたにちがいない。その姿を見るや、スクルージはうれしそうに大声をあげた。**

「おい、あれはフェジウィッグさんだ! 驚いたな、フェジウィッグが生き返ったよ!」

フェジウィッグがペンを置いて時計を見ると、それは7時を指していた。両手を揉み合わせ、たっぷりとした胴着を正したあと、④**足の先から、慈愛の心が宿るとされる頭のてっぺんまで、全身を揺さぶって笑った。**それから、耳に心地よく、なめらかで、のびのびとして、深みのある陽気な声で呼びかけた。

「おーい、おまえたち! エベニーザー! ディック!」

若者に成長したスクルージが、もうひとりの見習いとともに、軽やかな足どりでやってきた。

「ディック・ウィルキンズだよ、まちがいない!」スクルージは精霊に言った。「ああ、そうだ。たしかにあいつだ。おれにずいぶんなついてたものだよ。かわいそうなディック! いやはや!」

「さあ、おまえたち!」フェジウィッグは言った。「今夜はもう店じまいだ。クリスマス・イブだからな、ディック。クリスマスだよ、エベニーザー! ⑤**鎧戸(よろいど)を閉めるとしよう**」両手を勢いよく叩いて鳴らす。「よし、大急ぎでかかれ!」

見習いふたりの、なんとすばしこいことか! 鎧戸をかついで外へすっ飛んでいき――1、2、3――⑥**窓に鎧戸をはめこんで**――4、5、6――閂(かんぬき)で固定して――7、8、9――そして12まで数えきらないうちに、競走馬よろしく息せき切ってもどってきた。

「いいぞ!」フェジウィッグはそう叫ぶと、すばらしく軽快な身のこなしで、高い机から跳びおりた。「さあ片づけよう。ここをうんと広くあけておくれ! そら、ディック! ほれほれ、エベニーザー!」

片づけよう! ⑦**フェジウィッグが見守っているのだから、ふたりはなんだって片づけるつもりだし、そうできないものはどこにもなかった。**部屋はあっと言う間にきれいになった。動かせるものはひとつ残らず、社会から永久追放とばかりにしまいこんだ。⑧**床を掃いて水を撒(ま)き、ランプの芯を切り整えて、暖炉には石炭を山盛りに積みあげた。**⑨**店はたちまち、冬の夜におあつらえ向きの、ぬくぬくと心地よく、からりと明るい舞踏室へと姿を変えた。**

① warehouse

第１講では、この語を「事務所」と訳しましたが、今回はどう訳せばいいでしょうか。今回の範囲の最後まで読んで答えてください。

答 大商店（または問屋）

warehouseの最も一般的な意味は「倉庫」ですが、第１講では、スクルージとマーリーの仕事場を指していたので、「事務所」と訳しました。

今回の場合、フェジウィッグというある程度の年配の人物が出てきて、高い机（**a high desk**）から見おろしていると書かれていて、これは日本で言う番台のようなところから全体を見守っている感じがします。また、後半に若きスクルージと**Dick**という若者が見習いもしくは徒弟（**apprentice**）として出てくることを考え合わせると、何を売っているのかわかりませんが、ここは店舗または問屋のたぐいだと推測できます。

辞書を見ると、**warehouse**のイギリスでの意味として「大商店、問屋」などとあるので、これを選ぶのが妥当でしょう。

② a Welsh wig

どのようなものでしょうか。わからない場合は画像検索してください。

答 （房のような飾りがついた）毛糸の帽子

もともと知っていた人は、たぶんいないでしょう。辞書にもないと思います。そこであきらめて「ウェールズのかつら」と訳すのではなく、画像検索をしてみてください。すると、房のような飾りが下についたニット帽がいくつか並んでいるはずです。

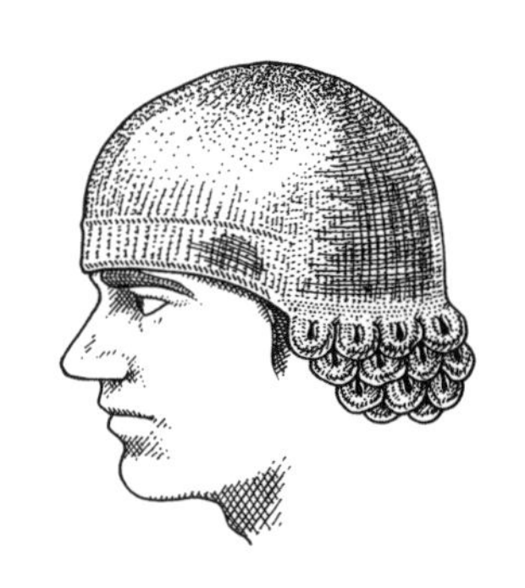

③ At sight of an old gentleman in a Welsh wig, sitting behind such a high desk, that if he had been two inches taller he must have knocked his head against the ceiling, Scrooge cried in great excitement:

非常に訳しづらい文ですが、2文に分けてもかまわないので、わかりやすい日本語にしてください。

答 毛糸の帽子をかぶった老紳士が机に向かっていたが、ずいぶん高い机だったので、紳士の背があと5センチ高ければ、天井に頭をぶつけていたにちがいない。その姿を見るや、スクルージはうれしそうに大声をあげた。

この文を左から右へ読んでいくと、最初のカンマのあとの**sittingが an old gentleman を意味上の主語とする**ことに気づくと思います。そのあとが**such... that**の形になっていることも、比較的見抜きやすいはずです。**that**節のなかに**if**ではじまる従属節があり、**he must**からはじまる主節が終わるのが**ceiling**で、そのあとに現れる**Scroogeがこの文全体の主語**です。となると、この文を以下のように二分して考えると、頭にはいりやすいし、訳しやすくもなります。

〈本筋〉

At sight of an old gentleman in a Welsh wig, ... Scrooge cried in great excitement:

〈老紳士の説明〉

an old gentleman in a Welsh wig [was] sitting behind such a high desk, that if he had been two inches taller he must have knocked his head against the ceiling, ...

わたしは老紳士の説明の部分を先に処理し、いったん文を切ったあと、本筋の部分を訳しました。

毛糸の帽子をかぶった老紳士が机に向かっていたが、ずいぶん高い机だったので、紳士の背があと5センチ高ければ、天井に頭をぶつけていたにちがいない。その姿を見るや、スクルージはうれしそうに大声をあげた。

一方、本筋の部分を先に訳すと、こんな感じになります。

毛糸の帽子をかぶった老紳士の姿を見るや、スクルージはうれしそうに大声をあげた。その紳士はずいぶん高い机の前にすわっていて、あと5センチ背が高ければ、天井に頭をぶつけていたにちがいない。

この個所だけをとってみれば、どちらの処理でもいいのですが、このあとにスクルージのうれしそうな台詞がつづくことを考えると、「大声をあげた」を最後に持っていきたい。わたしが1番目の訳文を選んだのはそれが理由です。

なお、「5センチ」のところは、もちろん「2インチ」でもかまいません。

④ laughed all over himself, from his shoes to his organ of benevolence

なるべく原文に忠実な日本語にしてください。

答 足の先から、慈愛の心が宿るとされる頭のてっぺんまで、全身を揺さぶって笑った

organ of benevolenceは注釈で説明したとおり、頭頂部のことですが、せっかくのおもしろい言いまわしなので、単に「頭のてっぺん」にしてしまうのではなく、原文の表現を残した訳文にしました。

「足の先」は、もちろん「靴の先」などでもOK。

laughed all over himselfはいろいろな訳し方ができますが、ここも「大笑いした」のようにまとめてしまってはおもしろくありません。また、「全身で笑うかのようだった」などにすべきでないのは、第5講の直喩と隠喩の話で説明したとおりです。わたしは「全身を揺さぶって笑った」と訳しましたが、「全身で笑った」だけでもまったく問題ありません。

⑤ Let's have the shutters up,

ここではどんな意味でしょうか。

答 鎧戸を閉めるとしよう

shuttersは、「シャッター」でもまちがいではありませんが、この時代のことばとしては違和感が大きいので、「鎧戸」「雨戸」などとすべきです。

いちばんの問題は**up**で、「鎧戸をあげる」と書くと、窓に据えつけられた鎧戸をあけるという意味にとりたくなります。

しかし、同じ段落でフェジウィッグは店じまいすると言っていますから、ここは鎧戸を閉めるという意味になるはずです。どんな構造になっているのか、最初は混乱するかもしれませんが、つぎの段落の記述を読めばわかるはずです。

⑥ had 'em up in their places

'em と **their** が何を指すかに注意して、日本語にしてください。

答 窓に鎧戸をはめこんで

'em（=them）も**their**も、少し前の**shutters**を指しています。「彼ら（スクルージとディック）」では意味が通りません。ここは「鎧戸を本来の場所へあげる」、つまり「鎧戸を窓枠にはめこむ」と言っています（図参照）。

これで ⑤の **up** の意味も納得できるはずです。

さらにこのあとの**barred 'em and pinned 'em** は「閂で固定して」であり、それぞれの動作を3つ数えるあいだにやってのけ、12数えるまでに全部終えてもどってくる、という早業を見せたというのがこの段落の内容です。

⑦ There was nothing they wouldn't have cleared away, or couldn't have cleared away, with old Fezziwig looking on.

wouldとcouldのちがいに注意しながら、日本語にしてください。

答 フェジウィッグが見守っているのだから、ふたりはなんだって片づけるつもりだし、そうできないものはどこにもなかった。

仮定法過去完了の形が使われ、しかも二重否定になっているので、やや意味がとりづらいのですが、その気になれば、片づける「意志」も「能力」もじゅうぶんにあった、ということです。

with以下はold Fezziwigを意味上の主語とする付帯状況の表現で、ここまでの記述からフェジウィッグがふたりに信頼されているのは明らかなので、命じられてそれにすなおに従ったのは筋が通ります。能力のほうは、鎧戸をすばやくはめこんだ手際から明らかですね。

⑧ the floor was swept and watered, the lamps were trimmed, fuel was heaped upon the fire

trim、fuel、heapなどのここでの意味に注意して、日本語にしてください。

答 床を掃いて水を撒き、ランプの芯を切り整えて、暖炉には石炭を山盛りに積みあげた

むずかしい構文ではありませんが、個々の単語の意味に注意しないと正確に読みとれない文です。

sweep（掃く）、**water**（水を撒く）は問題ないでしょう。

trimは写真やペットの毛の「トリミング」のもとになる動詞で、「刈りこむ」という意味ですが、ランプの場合、芯（wick）の部分を切りそろえることを指します。このあとで使うときに、炎がきれいに出るようにするためです。

fuelはもちろん「燃料」ですが、**the fire**（暖炉の火）の上に**heap**（積みあげる）

したのですから、灯油は考えられず、石炭または薪でしょう。第2講で石炭が出てきたこともあって、訳語は石炭にしましたが、薪も考えられなくはありません。

⑨ the warehouse was as snug, and warm, and dry, and bright a ball-room, as you would desire to see upon a winter's night

全体の構文に注意して、日本語にしてください。

答 店はたちまち、冬の夜におあつらえ向きの、ぬくぬくと心地よく、からりと明るい舞踏室へと姿を変えた

ひとつ目のasのあと、**snug, and warm, and dry, and bright...** と **and** がつづく部分は、第5講の②にもあったように、本来は最後のひとつだけでよい **and** を繰り返すことによって、思い入れたっぷりに語り聞かせるような効果をもたらしています [➔P.133]。

そのあと、ふたつ目のasが現れ、**as ... as you would desire to see upon a winter's night** という形が見えます。**you** は特定のだれかを指していない **you** で、**as ... as you would desire to see** までが「(だれもが) 見たいと望むような」という意味となり、最後の **upon a winter's night** がそれを「冬の夜に」と限定します。感覚としては最上級に近く、「最高の舞踏室」であるという印象を受けます。

bright a ball-room のところの語順を変に感じた人もいるかしれませんが、これは "**He is so great a man that nobody speaks ill of him.**" や "**It's too nice a day to stay at home.**" のように、**so** や **too** に引きずられて形容詞が前へ出るケースと同じで、ここでは1番目のasに引きずられて **snug, and warm, and dry, and bright** 全体が前へ出たと考えるといいでしょう。

ここを「〜舞踏室のようになった」と訳す人がかなりいますが、この文の骨組みは **the warehouse was ... a ball-room** ですから、「ように」は不要です。これについては、直喩と隠喩の問題と言うよりも、このあと実際にここで舞踏会がはじまるのですから (「あらすじ」参照)、「ように」を入れるのは誤訳に近いです。

フェジウィッグさんの人物像をとらえよう

 **沖田**　フェジウィッグさんって、楽しいおじさん！

 **越前**　こんどはそっちか。

蒔岡・藤島　……。

 **沖田**　でも、すごくいい人ですよね。

 **蒔岡**　たしかに、理想の上司ね。

 **沖田**　ひとつ気づいたんですけど、この場面、午後7時なんですよ。

 **越前**　それで？

 **沖田**　19世紀だと、12時間労働とか15時間労働とかがあたりまえだったはずだから、クリスマスとは言っても、午後7時に仕事を終わらせてあげるのは、ものすごく従業員に対してやさしい人だと思うんです。

 **越前**　なるほど、イギリスで工場法が制定されたのは1833年で、労働時間の上限がある程度決まったんだけど、それでもいまよりもずっと苛酷な条件だったろうからね。しかも、この個所はスクルージの若いころの話だから、1800年前後のことだ。

 **藤島**　ディケンズとしては、社会の実情を描くというより、理想的なあり方を示したかったんじゃないでしょうか。労働環境なんかに強い関心を持っていたようですし。

 **越前**　きょうはみんな鋭いな。そこまではぼくも考えなかった。

 **蒔岡**　フェジウィッグの人物像をとらえることは、今回の個所を訳すときに大事ですよね。⑦の解釈にも関係してきますし、あとは14行目から15行目にかけての **a comfortable, oily, rich, fat, jovial voice** の訳し方にも影響します［➜P.148］。

越前　ああ、そうだね。

藤島　えっ、どういうことですか？

越前　voiceに形容詞が5つついてるんだけど、comfortable、jovial、richはともかく、**oilyとfatは要注意**だってことだ。全体として、フェジウィッグさんを「いい人」として描いてるんだから、「油っぽい声」とか「図太い声」では印象が悪くなる。**訳し方によってプラスのイメージにもマイナスのイメージにもなるときには、訳語を慎重に選ばなきゃいけない**。

藤島　形容詞の訳し方に注意ってことですね。

越前　訳し方以前に、読みとり方の問題だとも言えるけどね。これは名詞でもありうることだ。prideの訳語を「誇り」「自尊心」「プライド」「自慢」「うぬぼれ」のどれにするかで、その人物の印象はまったく変わる。

沖田　わたしはoilyを「脂の乗った」、fatを「よく肥えた」にしたんですけど、どうですか。

越前　その前後で、フェジウィッグさんをあたたかくコミカルに描いた訳文がつづいていれば、そういう訳はとてもいいと思うよ。その前の文だって、organ of benevolenceとかlaughed all over himselfとか、変わった言い方をしてるわけだから、そこも含めてしっかり雰囲気を伝えていれば問題ない。逆に、まわりが読みの浅い殺伐とした訳文だったら、「脂の乗った」や「よく肥えた」が浮いてしまって、目もあてられなくなる。

「ウェールズのかつら」は回避せよ！

藤島　今回は辞書に載ってないことばがたくさんあって、大変でした。Welsh wigは、もし問いになってなかったら、そのまま「ウェールズのかつら」にしたかもしれませんし、organ of benevolenceも注がついてなければさっぱりわかりませんでした。

越前　どちらも、**画像検索でかなりのことがわかる**よ。その手間は惜しまないほうがいいね。

蒔岡　Welsh wigだけで画像検索したときと、"Welsh wig Fezziwig"で検索したときと、少しちがった結果が出て、おもしろかったですよ。昔の『クリスマス・キャロル』の挿絵なんかも出てきて。

越前　挿絵だと帽子よりかつらに見えるものもあるね。いずれにせよ、「ウェールズのかつら」のままではだめだ。

藤島　あと、今回はどれも注がついてたんですけど、ただの呼びかけとか、驚きのことばとか、いろいろあって、こういうの、全部覚えなきゃいけないんですか。Yo hoとか、Bless meとか、Hilli-ho!とか。

越前　間投詞や感動詞と呼ばれるものだね。文学作品を読んでいくと、頻繁に出てくるものは自然に覚えるんじゃないかな。そうじゃない場合も、前後の文脈から考えて、ここは日本語だったらどう言うかと想像力を働かせるといい。定訳みたいなものは、こういうことばに関してはほとんど意味がない。

沖田　それとちょっと近い話かもしれないんですけど、今回の範囲だけでもoldが6回出てきます。第1講のOld Marleyの注のところに、こういうoldは親しみをこめてつけられたものだから、あまり深い意味はないと書いてありました［➜P. 43］。全部無視していいんでしょうか。

越前　全部は言いすぎかもしれないな。今回で言えば、4行目のan old gentlemanは「老紳士」と訳す必要があるけど、あと5つは全部old Fezziwigで、こんなふうに名前の前についてるやつはたいてい無視していい。ただ、年老いていることがその文脈で重要なら、訳出したほうがいいね。

まあ、こういうのをルール化するのはむずかしいけど、英語で文学作品を読む経験をたくさん積んでいくと、そういう間投詞とか、あまり意味のないoldとかは、ちょっと変な言い方だけど、**読んでいる途中で目にはいらなくなる**んだ。で、初学者の人の訳文を見ると「老」ばっかりで、あれ、そんなにたくさんoldなんて書いてあったっけ、って思うことがよくある。慣れていくと自然に訳さなくなるから、いまは気にしなくていいよ。

ひとつ気をつけたほうがいいのは、the old manが「父親」という意味になる場合かな。この作品ではその例はないようだけど、よく見る用法で、その場合、年齢はまったく関係ない。the old womanが「母親」になることは、それに比べて少ないな。

インチやポンドはそのまま訳す？

藤島　ちょっと話は変わりますけど、前回の終わりのほうで質問した、命令文でもないのに主語が省略される形、さっそくまた出てきましたね。3行目の“Know it!”です［➜P. 148］。これはすぐわかりました、主語がわたしだって。

越前　ほら、慣れればわかるようになると言ったじゃないか。

藤島　なんだか自信がついてきました。

沖田　褒めると伸びるタイプね。

蒔岡　実はわたしもそうかも。わたしの質問は③のtwo inchesについてです。先生の訳文は「5センチ」でした。以前から先生は、最近の主流は長さや重さをセンチやグラムに換算して訳すことだけど、自分はまだインチやポンドのまま訳すことが多いとおっしゃっていました。今回、センチになさったのはどうしてでしょうか。

越前 ここ数年のあいだに、自分もセンチやグラムを使うことが多くなってるんだ。ひとつには、出版社からそう求められることが増えてきたという事情がある。あとは、作品の傾向とか読者層に応じて分けたりもするかな。古典作品だとインチやポンドのままにすることがまだ多いけど、この『クリスマス・キャロル』の場合は、若い世代やあまり海外文学を読んでいない人たちにもどんどん読んでもらいたくて、読みやすさ重視の方針からセンチやグラムを採用してる。ほかにも、シリーズ作品の場合は途中から方針を変えるわけにはいかないとか、いろんな事情がからんでるね。
　沖田さん、藤島くんは、こういうのはどう思う?

沖田 もちろんセンチやグラムのほうが読みやすいですけど、作品の舞台となってる場所ではインチやポンドを使ってたんだから、変えてしまうのはおかしいかもって気持ちも少しあります。

藤島 ぼくはセンチやグラムじゃなきゃだめですね。インチやポンドじゃぜんぜんイメージが湧かないし。いちいち計算するのは苦痛です。

越前 なるほど、これは翻訳とは何かという大きな問題とも関連するから、また別のときに話そう。

沖田 それに関係して、ひとつ訊きたいんですけど、2インチって、正確には5センチじゃないですよね。今回の訳文には「約」とか「ぐらい」とかはいってないんですけど、それはいいんでしょうか。

越前 それも大事な指摘だな。正確にはそうなんだけど、流れのなかで「約」と入れる必要があるかどうかを見きわめて決めるんだ。今回の場合、もともと大ざっぱな話をしてるんだから、「背があと5センチ高ければ」でかまわない。むしろ、「背があと約5センチ高ければ」なんて書いたら、なんだか不自然だと思うだろ？

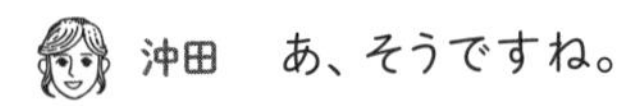

沖田　あ、そうですね。

越前　もちろん、科学に関する文章なんかで、厳密な数値が重要なときはそのかぎりじゃない。ただ、いちばん大事なのが「切りがいいこと」って場合も多いんだ。この文では、読者が些末なことに気をとられてしまったら、肝心のフェジウィッグさんに集中できなくなる。

沖田　フェジウィッグさんのやさしさはじゅうぶんわかりましたけど、ディックがどうもよくわからなくて。21行目でスクルージが“**Poor Dick!**”と言いますよね［➜P.148］。これはどういうことなんでしょうか。この作品を最後まで読んでも、ディックはこの場面しか出てこないんですよね。

藤島　ああ、ぼくは何も考えてなかったな。

越前　この場面の情報しかないんだから、想像するしかないだろうね。若くして死んだのかもしれない。あるいは何かひどく不幸な境遇に陥ったとか。だとしたら、スクルージがこの場面を懐かしく思い出す気持ちが強くなるから、それでいいと思う。何もかも結論を出す必要はないさ。

蒔岡　それで思い出しました。その“**Poor Dick!**”のすぐ前で、スクルージは“**He was very much attached to me, was Dick.**”と言います。これ、なんか、変な文じゃないですか。バランスが悪いというか。

越前　最後のwas Dickが浮いてるってこと？

蒔岡　はい。

越前　ぼくも同じように思って、原文を調べてみたけど、まちがいじゃなかった。会話だから、**最後に思いついたように付け足した**と考えればいいんじゃないかな。訳文に反映する必要はないと思う。

けっこう見かける、人名を使った表現

藤島　人名の話が出たついでに言いますけど、**say, Jack Robinson**ってところはびっくりしました。なんでこんなふうに言うのかなって。

越前　注釈にも書いたけど、諸説あって、イギリス人のあいだでも意見が割れるようなんだ。

藤島　**Jack Robinson**って、全部で12文字なんです。あとで12数えるところがあるけど、ひょっとして関係あるのかなって思いました。

蒔岡・沖田　あ、ほんと、12文字だ！

越前　ぼくも気づいてて、ちょっと考えてみたけど、そのあとの12は3の倍数がつづいてそうなっただけだから、偶然と言っていいんじゃないかな。ディケンズがちょっとしたいたずらのつもりでやったのかもしれないけど。

沖田　こんなふうに、人の名前が急に出てきて、特別な意味を持つような例って、ほかにありますか？

越前　ええと、そうだな、すぐには思いつかない。ああ、"Charlie's dead." と "Queen Anne is dead." は著書の**『この英語、訳せない！』**（ジャパンタイムズ出版）で紹介したな。今年出た続編の**『「英語が読める」の9割は誤読』**にもいくつか載せた。

蒔岡・沖田・藤島　また宣伝ですか～

越前　すまん、すまん。あっ、そうだ、ぴったりのやつを思いついた。ディ

ケンズだよ、ディケンズ。“**What the dickens!**”ってのがある。dは小文字で書くのがふつうだ。“What the dickens is it?”みたいな感じで使って、「そいつはいったい全体なんだ?」というふうに、**驚きや誇張を表す**。

蒔岡　“What on earth ...?”とか“What in the world ...?”なんかと同じですね。

越前　そうそう。もちろん会話だけだけど、単に“The dickens!”で「ちくしょう!」になったり、a dickens of... でa lot ofを強めたような意味になったり。ただし、このチャールズ・ディケンズよりもずっと前から英語にあった言い方らしい。もっとも、いまではこのディケンズのことだと思ってる人もけっこういるようだけど。

『クリスマス・キャロル』

こぼれ話

6

ここではディケンズの代表作とされる小説の内容をざっと振り返ります。壮大なスケールの物語ばかりなので、あらすじは内容のごく一部にすぎません。紹介できるのはわずかですから、くわしくは各作品の解説や年表などを参考にしてください。翻訳はそれぞれ何種類も出ていて、ここに書ききれないので、出版社名・訳者名は割愛します。もちろん、どの順番で読んでもかまいません。

前回の「こぼれ話」でも紹介したとおり、ディケンズの作品はもともと月刊分冊の形で書かれたものが多いため、山場の配し方や緩急のつけ方が絶妙で、読者を飽きさせません。

『クリスマス・ブックス』

1843年の「クリスマス・キャロル」で大好評を博したディケンズは、その後ほぼ年１作のペースで、「鐘の音」(“The Chimes”)、「炉端のこおろぎ」(“The Cricket on the Hearth”)、「人生の戦い」(“The Battle of Life”)、「憑かれた男」(“The Haunted Man and the Ghost’s Bargain”)と、クリスマスをテーマとした作品をつづけて発表し、「クリスマス・キャロル」と合わせた5作が『クリスマス・ブックス』として１巻にまとめられました。どれも人生の喜怒哀楽を巧みに描いた作品です。「炉端のこおろぎ」は善良な夫婦と不思議な老人の織りなす起伏に富んだ物語で、「クリスマス・キャロル」に劣らず強く心を打ちます。

『オリヴァー・トゥイスト』 *Oliver Twist*, 1837-1839

盗賊の一味に無理やり入れられた孤児オリヴァーは、あるとき親切な紳士に保護されます。その後、オリヴァーを悪の道へもどそうとする者たちと、かくまおうとする者たちの激しい駆け引きが展開されます。貧しい人々の悲惨な暮らしや首領フェイギンをはじめとする犯罪者たちの様子が生き生きと描写された、若き日のディケンズの代表作です。

『デイヴィッド・コパフィールド』 *David Copperfield*, 1849-1850

孤児となったデイヴィッドが、工場労働者として働いたのち、大伯母に引きとられ、波乱の人生を送りながら、作家として大成していく物語。作者の自伝的要素が最も強い作品で、つぎつぎと登場する変人のなかで、ミコーバーという男がディケンズの父をモデルにしていると言われます。何度か映画化されていますが、日本では2021年1月に公開された〈どん底作家の人生に幸あれ!〉は、インド系のデヴ・パテルがデイヴィッドを演じるなど、斬新な趣向を楽しめます。

『荒涼館』 *Bleak House*, 1852-1853

出生の秘密をかかえたエスターが家族を失ったあと、家政婦としてロンドンの北にある邸宅(荒涼館)へ移り住み、その館の女主人となるまでの一代記。途中の3分の1ぐらいを謎解きミステリーとして読むこともできます。冒頭で、現代の読者からするとやや冗長な裁判の場面がありますが、そこを乗りきれば一気読みできる極上のエンタテインメントで、わたしの一押し作品です。

『二都物語』 *A Tale of Two Cities*, 1859

ディケンズには珍しい歴史物語で、フランス革命時のパリがおもな舞台です(「二都」はパリとロンドンのこと)。無実の罪で囚われた医師とその娘、顔立ちのそっくりな青年ふたり(亡命貴族と弁護士)を主役として、革命前後の社会を生々しく描きます。衝撃的な結末はディケンズの全作中で最も印象に残るものでしょう。

『クリスマス・キャロル』

こぼれ話

6

『大いなる遺産』 *Great Expectations*, 1860-1861

ある日突然、莫大な遺産を相続することになった孤児ピップの物語。謎の貴婦人ミス・ハヴィシャムとその養女エステラをはじめとして、さまざまな人物の愛憎が描かれるなかで、家族とは何か、紳士とは何か、充実した人生とは何かと読者に強く問いかける、後期ディケンズを代表する完成度の高い作品です。

Lecture 7

第7講

At last the dinner was all done, the cloth was cleared, the *hearth swept, and the fire made up. ① The *compound in the jug being tasted and considered perfect, apples and oranges were put upon the table, and a shovel-full of chestnuts on the fire. Then ② all the Cratchit family *drew round the hearth, in what Bob Cratchit called a circle, meaning half a one; and ③ at Bob Cratchit's elbow stood the family display of glass; two tumblers, and a custard-cup without a handle.

④ These held the hot stuff from the jug, however, as well as golden goblets would have done; and Bob served ⑤ it out with beaming looks, while the chestnuts on the fire *sputtered and cracked noisily. Then Bob proposed:

"A Merry Christmas to us all, my dears. God bless us!"

⑥ Which all the family re-echoed.

"God bless us every one!" said Tiny Tim, the last of all.

He sat very close to his father's side, upon his little stool. ⑦ Bob held his *withered little hand in his, as if he loved the child, and wished to keep him by his side, and dreaded that he might be taken from him.

スクルージは現在の精霊（大男）に導かれて、ボブ・クラチット（第2講に登場した事務員）の家へ行きます。そこでは家族8人が貧しいながらも楽しくクリスマスのごちそうを食べていました。末っ子のティムは病弱で、ふだんは松葉杖を突いています（あらすじ13ページ 3〜12行）。下線部①〜⑩について、問いに答えてください。

① 全体の構文や省略されている語に注意して、日本語にしてください。

② 後半がどういうことを言っているかを考えて、日本語にしてください。

③ glassの意味に注意して、日本語にしてください。

④ 後半の仮定法の形に注意して、日本語にしてください。

⑤ これは何を指していますか。

⑥ これの先行詞はなんでしょうか。

⑦ 前半はふたつのhisがだれを指しているかに注意して、後半はas ifではじまる節の構造に注意して、日本語にしてください。

［注釈］

L.02 **hearth** 炉床、炉辺

L.03 **compound** 混合物（この少し前に、水差しにレモンとジンを入れてあたためる個所がある）

L.06 **draw round** 〜のまわりに集まる　L.13 **sputter** はじける

L.20 **withered** 衰えた、弱々しい

"Spirit," said Scrooge, with an interest he had never felt before, "tell me if Tiny Tim will live."

25 "I see a vacant seat," replied the Ghost, "in the poor *chimney corner, and a *crutch without an owner, carefully preserved. ⑧If these shadows remain unaltered by the Future, the child will die."

"No, no," said Scrooge. "Oh, no, kind Spirit! say he
30 will be *spared."

"If these shadows remain unaltered by the Future, ⑨none other of my race," returned the Ghost, "⑨will find him here. What then? If he be *like to die, he had better do it, and decrease the surplus population."

35 Scrooge hung his head to hear ⑩his own words quoted by the Spirit, and was overcome with *penitence and grief.

⑧ Futureが大文字ではじまっていることに注意して、日本語にしてください。

⑨ 2か所の下線部をつづけて日本語にしてください。また、つまりそれはどういうことでしょうか。

⑩ どのことばのことでしょうか。

［注釈］

L.26 **chimney corner** 暖炉の隅、炉辺　**crutch** 松葉杖

L.30 **spare** 助ける、生き長らえさせる　L.33 **like to**（=likely to）

L.36 **penitence** 懺悔、後悔

食事がすっかりすむと、テーブルクロスが片づけられ、炉床が掃かれて新しい火が熾(おこ)された。①水差しの飲み物を味見したところ、これがまた完璧な出来栄えだ。リンゴとオレンジがテーブルに出され、シャベルに山盛りの栗が火のなかに置かれた。それから、②クラチット家の全員が、ボブ・クラチットに言わせれば“輪”になって——実際には半円の形になって——暖炉のまわりに集まった。③ボブの脇には、家じゅうのグラスが並んでいた。といっても、タンブラーがふたつに、持ち手のないカスタードカップがひとつだけだ。

④そんなものでも、金の杯にも劣らないほどに、水差しから注がれる熱い飲み物をしっかり受け止めた。暖炉の栗がにぎやかに爆(は)ぜる音を聞きながら、ボブはにこやかな顔で⑤飲み物をついでまわった。そして、乾杯のことばを述べた。

「みんな、メリー・クリスマス。神さまの祝福がありますように！」

家族全員が⑥これを繰り返した。

「かみさまのしゅくふくが、みんなにありますように！」ティム坊やが最後に言った。

ティム坊やは父親のすぐそばで小ぶりな椅子にすわっていた。⑦その弱々しく小さな手を、ボブは自分の手のなかに握りしめていた。この子が愛おしくてたまらない、いつまでもそばに置いておきたいと願いながら、いつか奪い去られるのを恐れているかのように。

「精霊殿」スクルージはこれまで感じたことのない思いに駆られて尋ねた。「ティム坊やは長生きできるのか」

「空っぽの席がひとつ見える」精霊は答えた。「粗末な暖炉の隅だ。それに、持ち主のいない松葉杖が大事に残されているのも見える。⑧**未来の手でそれらの影が変えられぬままなら、あの子は死ぬだろう**」

「いや、だめだ」スクルージは言った。「だめだよ、親切な精霊殿！あの子は助かると言ってくれ」

「未来の手でそれらの影が変えられぬままなら」精霊は答えた。「⑨**おれたち一族の者があの子をここで見ることは二度とないだろう**。だが、それがどうした？　死ぬものならば、死ねばいい。余分な人口が減るだけではないか」

精霊が⑩**自分のことば**を引き合いに出すのを聞いて、スクルージはうなだれ、深い後悔と悲しみに打ちのめされた。

① The compound in the jug being tasted and considered perfect, apples and oranges were put upon the table, and a shovel-full of chestnuts on the fire.

全体の構文や省略されている語に注意して、日本語にしてください。

答 水差しの飲み物を味見したところ、これがまた完璧な出来栄えだ。リンゴとオレンジがテーブルに出され、シャベルに山盛りの栗が火のなかに置かれた。

前半は分詞構文の形で、後半の主語（apples and oranges）と異なる意味上の主語（The compound）が前に置かれています。**being tasted**と**considered perfect**は、ともに受け身の意味を表しています。

後半については、**and**のあとの部分をくわしく書くと

a shovel-full of chestnuts **were put** on the fire

のようになるはずで、**were put**が省略されていると言えます。

訳文はふたつに分けて処理しましたが、そのようにしたのは、この前の文からずっと受け身の表現がつづいていて、単調になるのを避けるためです。味見をしたり考えたりしたのはクラチット家の全員だと見なすこともできますが、第2段落の内容から考えるとボブ・クラチットである可能性が高く、ここではボブに寄り添うような感じの訳文にしてみました。

② all the Cratchit family drew round the hearth, in what Bob Cratchit called a circle, meaning half a one

後半がどういうことを言っているかを考えて、日本語にしてください。

答 クラチット家の全員が、ボブ・クラチットに言わせれば"輪"になって──実際には半円の形になって──暖炉のまわりに集まった

英語の前半は問題ないでしょう。

後半については、**in a circle**が「輪になって」ということで、ボブはおそらく「みんな、暖炉の前に輪になって集まろう」という意味のことを言ったのでしょうが、暖炉は壁際にあるので、その前にみんなで腰かけても半円にしかならない、というちょっとしたことば遊びと考えればいいと思います。この家のせまさを暗に伝えているとも言えるでしょう。

訳文はそのあたりを強調するために、やや大げさに処理した形にしました。

③ at Bob Cratchit's elbow stood the family display of glass

glassの意味に注意して、日本語にしてください。

答 ボブの脇には、家じゅうのグラスが並んでいた

正確にどのような状態で置かれていたのかはわかりませんが、この**glass**は単数形で冠詞がついていないので、**不可算名詞**（数えられない名詞）であり、意味はただのグラス（コップ）ではなく、**集合的に「ガラス製品」を表しています**。ただ、つぎの文でそれがタンブラー（やや大きめのグラス）2個とカスタードカップ（本来は調理用）1個とわかるので、「家じゅうのグラス」と訳しました。

④ These held the hot stuff from the jug, however, as well as golden goblets would have done;

後半の仮定法の形に注意して、日本語にしてください。

答 そんなものでも、金の杯にも劣らないほどに、水差しから注がれる熱い飲み物をしっかり受け止めた。

主語のTheseは前文に出てきた3個のグラス(おそらく安物)のことです。一方、**goblet**は脚のついた立派な杯のようなもので、しかも金でできているなら、この家にあるグラスとは比べ物にならない高級品です。

最後の**doneは前半の動詞heldの言い換え**ですから、ここではその3個のグラスが、金の杯(が仮にあったとして、それ)に劣らないほどじょうずに(well)、つまりしっかりと飲み物を受け止めた、ということです。

貧しいにもかかわらず、食事を幸せそうに楽しんでいるクラチット家の様子がみごとに伝わってくる文です。

⑤ it

これは何を指していますか。

答 熱い飲み物(the hot stuff)

前の文の内容から考えて、jugの中身であるthe hot stuff(前の段落のthe compound)を指しています。serveについては、「ついでまわった」「配ってまわった」の両方が考えられます。

⑥ Which

これの先行詞はなんでしょうか。

答 “A Merry Christmas to us all, my dears. God bless us!” 全体

文頭に大文字ではじまる関係代名詞**Which**が来る形で、先行詞はその前のボブの発言全体です。

⑦ Bob held his withered little hand in his, as if he loved the child, and wished to keep him by his side, and dreaded that he might be taken from him.

前半はふたつの**his**がだれを指しているかに注意して、後半は**as if**ではじまる節の構造に注意して、日本語にしてください。

答 その弱々しく小さな手を、ボブは自分の手のなかに握りしめていた。この子が愛おしくてたまらない、いつまでもそばに置いておきたいと願いながら、いつか奪い去られるのを恐れているかのように。

hisがふたつあるのでわかりにくいですが、**little hand**はもちろんティム坊やの手ですから、**前のhisがティム坊やを指しています**。あとの**his**はボブのことで、そのあとに**hand**が省略されています。**withered**というと老人の手のようで、このことばから**ティムは重い病気で弱っている**のがわかります。

as ifのあとを、**he loved the child**までで切って読んで、「子供を愛しているかのように」という意味にとり、子供を愛しているのは当然ではないのかと不思議に感じた人は多いと思います。

ここはそうではなく、**as if**のあとに**he**を主語とする3つの動詞を具えた部分が並んでいて、

```
            ┌ loved the child
as if he ──┼ (and) wished to keep him by his side
            └ (and) dreaded that he might be taken from him
```

という構造になっていると考えるべきです（**wished**の前の**and**は不要ですが、第5講の②と同様に、ゆっくり語り聞かせたいケースでしょう）。となると、「……を愛していて、……を望んでいて、（だからこそ）……を恐れている」と並べてとらえることができ、**as if**ではじまる節の意味の中心は最後の「恐れている」になるので、筋が通ります。

⑧ If these shadows remain unaltered by the Future, the child will die.

Future が大文字ではじまっていることに注意して、日本語にしてください。

答 未来の手でそれらの影が変えられぬままなら、あの子は死ぬだろう。

ここでは、**remain unaltered by the Future**を「未来まで変わらないままである」という意味にとる人がかなりいますが、その意味（継続）であれば前置詞は**until**または**till**になるはずです。前置詞**by**が表すのは**You should return the book by Wednesday.**（水曜までに本を返さなくてはいけない）のような「期限」（「～までに」）です。

この文の**by**はごくふつうの「～によって」の意味であり、**the Futureはいわば「擬人化された未来」**です。似たような例として**the Death**があり、これは状況によっては「死神」などと訳すこともあります。ここでは、未来が具体的・擬人的な存在であることがわかるように「～の手で」と訳しました。

⑨ none other of my race will find him here

2か所の下線部をつづけて日本語にしてください。また、つまりそれはどういうことでしょうか。

答 おれたち一族の者があの子をここで見ることは二度とないだろう
ティムが1年以内に死ぬということ。

my raceはこの精霊（現在の精霊）の一族の者であり、精霊は毎年クリスマスのたびに入れ替わりますから、ほかの精霊がティムの姿を見ないのであれば、来年のクリスマスまでにティムは死ぬということになります。

⑩ his own words

どのことばのことでしょうか。

答 If he be like to die, he had better do it, and decrease the surplus population.

あらすじの9ページ 14〜17行にあるとおり、ふたりの紳士が事務所を訪ねてきて、貧しい人々への寄付を募ったとき、スクルージは、そういうやつらが死ねば余分な人口が減るだけだと言い放ちました。原文では、正確にはこう書かれています。

> "If they would rather die," said Scrooge, "they had better do it, and decrease the surplus population."

ティムをかわいそうに思ったスクルージは、精霊がかつて自分が言ったのとほぼ同じことばを返すのを聞いて、大きな衝撃を受けるというわけです。**スクルージが改心していく大きなきっかけとなる場面です**。

ティム坊やの台詞をひらがなにしたわけは…

藤島　なかなか強烈でしたね、精霊の最後の台詞。

時岡　これ以上ないほどの嫌味ですね。

越前　**スクルージが以前に言った台詞を精霊がそのまま返す場面は、ほかにも何か所かある**よ。作者の巧みなところだと思う。

沖田　でも、ティム坊やが気の毒です。なんとかしてあげたい。

越前　それはスクルージしだいだね。みんな、もうあらすじを読んでるだろうから、先のことを言ってしまうと、スクルージは改心によってティムの命を救い、ティムにとっての「第２の父親」（a second father）になる、という記述がある。象徴的な意味だけどね。

藤島　ひとつ訊きたいんですけど、みんなが“**God bless us!**”（神さまの祝福がありますように！）と言ったあと、ティムがそれを繰り返すところが、先生の訳文では「かみさまのしゅくふくが、みんなにありますように！」と全部ひらがなになってます。これはどうしてですか。

沖田　だって、そのほうがかわいいじゃない！

時岡　読者が感情移入しやすくなりますよね。

越前　もちろん、そういう効果を狙ったというのもあるけど、それだけじゃないんだ。あらすじには入れなかったけど、この作品はティムのこのことばで終わるんだよ。原文では、**as Tiny Tim observed**（ティムが言っていたとおり）と文中に付け加えられてる。そういう意味では、**この作品のなかでも特に重要な台詞だから、読者の印象に残るように、目立つ形で処理したんだ**。

藤島　なるほど、そういうことでしたか。やっぱり翻訳ってむずかしいな。

そうだ、英語の形でもむずかしいと思ったところがありました。⑨のすぐあとに**If he be like to die**ってところがありますよね
[➜P. 174]。**like**が**likely**のことだというのは注釈を見てわかったんですけど、**be**はなぜ**be**なんですか？　ふつうの言い方なら**is**だろうし、仮定法なら**were**ですよね。

越前　直説法なら**is**、仮定法過去なら**were**または**was**。そこまではそのとおりだ。この**be**は**仮定法現在**と呼ばれる形で、**感覚としては、仮定法過去よりやや弱い仮定**と言っていいんじゃないかな。仮定法過去は現実に反する仮定だけど、仮定法現在は実現性の低い仮定、という感じだ。現代だと、この仮定法現在が使われるのは、命令・提案の動詞や必要・願望を表す形容詞のあとの**that**節で出てくる場合がほとんどだ。言ってることがわかるかな？

藤島　**propose that**とか**it is necessary that**のあとのあれですよね。動詞は原形になることが多いけど、**should**がついてもいいってやつ。

越前　そのとおりだ。仮定法現在という用語を覚える必要は特にないけど、それが同じ仲間であることは知っておいてもいいね。この**「if +原形」は、現代でもちょっと格調高い言い方のときはよく見かける**よ。

イレギュラーな表現は、単調さを避けるため

蒔岡　わたしもひとつ、文法の確認をさせてください。最初の文です。

At last the dinner was all done, the cloth was cleared, the hearth swept, and the fire made up.

これ、4つに分かれていて、「**A, B, C, and D**」の形になって

いるんですよね。で、最初のふたつはwasがはいった完全な形だけれど、あとのふたつはwasが省略されている。つまり、それを補って書くと、

At last the dinner was all done, the cloth was cleared, the hearth was swept, and the fire was made up.

となる。こういう考え方でまちがいないでしょうか。

越前 そのとおり。

蒔岡 でも、4つのうち、最初のふたつを完全に書いて、あとのふたつだけ省略するって、ちょっと変な気がします。

越前 ああ、理詰めで行くとそういうことになるかもしれない。書き手としては、受け身の形をふたつ書いてきて、3つ目、4つ目については、途中でくどいと思って簡潔にしたということじゃないかな。省略してもじゅうぶんに意味はわかるわけだし。

蒔岡 なんだか気まぐれなんですね。

越前 **単調さを避けるため**、ということだよ。この受け身の連続は第2文にも及んでいて、訳文のほうでは、第1文は受け身を多用して、第2文の前半で変化をつけてみた。同じ考えに基づくと言える。

場面を想像しながらserveの訳を考えてみると…

沖田 わたしは解釈について、ひとつ疑問に思ったことがあります。ボブがみんなに飲み物をserveする場面ですけど、解説には「ついでまわった」「配ってまわった」のどちらでもいいとありました。わたしは配ってまわるほうだと思いました。辞書にはserve outで「分配する」とありましたし。

蒔岡 わたしも樹梨亜ちゃんと同じ考えです。

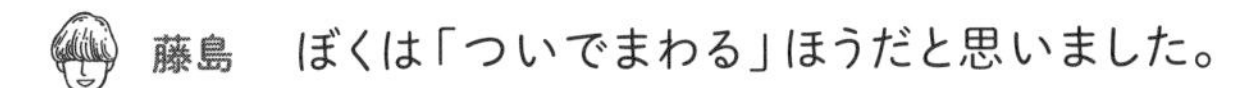

藤島　ぼくは「ついでまわる」ほうだと思いました。

越前　なるほど。じゃあ、作中からわかる情報を整理して、このときの様子を目に浮かべてみようか。いま、この場には何人いるんだっけ。

沖田　最初の説明に「家族8人」とあったから、8人です。

越前　そうだね。蒔岡さんはこの前の個所にも目を通してるはずだから訊くけど、どんな8人かな？

蒔岡　はい。まずクラチット夫妻。それから、登場順に言うと、次女のベリンダ、長男のピーター、名前の出てこない弟と妹、そのあと、すでに独立して家を出ているらしい長女のマーサがクリスマスのために帰ってきます。それに、ティム坊や。その8人です。

越前　子供たちの歳はどのくらい？

蒔岡　長男のピーターはもうすぐ仕事をはじめるくらいの歳ですね。この当時だと、10代の後半ぐらいじゃないでしょうか。長女のマーサが20歳前後とか。あとは、ベリンダが10代の前半ぐらいで、弟と妹はそれより年下、末っ子のティム坊やは5歳ぐらい。

越前　だいたい、そんなところだろうね。ところで、グラスは何個あったんだっけ。

蒔岡　全部で3個です。それも、ひとつは調理用のカスタードカップ。

越前　となると、8人にいっぺんには配れないよね。なんらかの形でまわし飲みするか、ひとりが飲み終わったらグラスをつぎの人の前に置いてつぎなおすか、いろいろな絵が描けて、確定はできない気がするんだ。

沖田　あっ！ いま思ったんですけど、この飲み物って、レモンとジンを混ぜたものですよね。お酒だから、未成年は飲んじゃいけなくて、夫婦と長女だけが飲んだんじゃないでしょうか。だから3個で足りる。

越前　それもおもしろい目のつけどころだけど、法律上はともかく、この当時はけっこう子供にジンを飲ませたりを平気でやってたようだね。どの程度強いものだったかわからないけど。まあ、大人だけが飲んだのだとしたら、子供には別のものを用意したとか、何かしらの記述があるはずだし。

藤島　**翻訳するときは、そんなことまで考えるんですか。**

蒔岡　**それが楽しいのよね、けっこう。**

翻訳には、謎解きのおもしろさがある

藤島　ぼくはいまその個所を読みなおしてみて、ふと思いました。Bob served it out with beaming looksと書いてあるんですけど、最後のlooksが複数形になってるのはなぜですか[➜P. 172]。**Bobひとりの表情だから、単数形でいいのに。**

越前　たぶん、ひとりひとりにつぐなり配るなりするとき、少しずつ表情が変わっていったんじゃないかな。**複数形のほうが生き生きとした感じがする**よ。

藤島　なんだか謎解きをやってるみたいです。探偵顔負けというか。

越前　ああ、翻訳って、そういうものだと思うよ。ぼくが文芸翻訳の勉強をはじめたときは、**翻訳すること自体に良質のミステリー小説を読んでるような喜びがあって、夢中になった**ものだ。でも、翻訳にかぎらず、外国語の文章、特に文学作品を読み解いていくのは、単に語学の問題ではなく、**文化的な背景とか人生経験とか、そういうものを総動員するから楽しい**んだと思う。

 沖田　いかにも文学らしい質問をさせてください。⑧のところのby the Futureが、「未来までに」じゃなくて「未来によって」だというのはわかりました。このthe Futureって、あとで出てくる未来の精霊のことですか？

越前　ああ、それはぼくも迷ったけど、たぶんちがうな。3人の精霊はクリスマスだけに登場するものだから、この文脈には合わないというのが、理由のひとつ。もうひとつは、「未来の精霊」というのは、この作品の原文ではthe Ghost of Christmas Yet To Comeであって、futureということばが使われてるわけじゃないってことだ。

　精霊と擬人化の話が出たから、それに関してひとつクイズを出そう。今回の個所の少し前、現在の精霊が登場したばかりのところで、精霊がスクルージに、自分の兄たちといっしょに歩いたことはないかと尋ねるんだ。スクルージはこんなふうに返事をして、やりとりがつづく。

> "I don't think I have," said Scrooge. "I am afraid I have not. Have you had many brothers, Spirit?"
>
> "More than eighteen hundred," said the Ghost.
>
> "A tremendous family to provide for!" muttered Scrooge.
>
> 「ないと思う」スクルージは答えた。「残念ながら、ないな。兄弟がたくさんいるのか、精霊殿」
>
> 「1,800人以上はいるよ」精霊は言った。
>
> 「そんな大家族じゃ、養うのが大変だ」スクルージはつぶやいた。

ここで精霊は兄弟が「1,800人以上」と答えてるんだが（厳密には

「1,800人より多い」だけど、ここではどちらでもいい）、なぜそんなことを言ったんだと思う？

蒔岡 あっ、それ、前に読んだとき、不思議に思いました。わからないままです。

沖田 なんでそんな中途半端な数？

藤島 うーん、さっぱり……でも、ひとつ、それとは関係ないと思うけど、気になったことがあるんです。でも、ちがうな。

越前 ちがってもいいから、言ってみて。

藤島 1,800って、英語では **one thousand (and) eight hundred** ですよね。なんで **eighteen hundred** なんですか。

蒔岡 そういう言い方もあるのよ。

越前 うん。でも、目のつけどころがいいな。その言い方をするのは、おもにどういうときだろう？

蒔岡 年号？

沖田 あっ、わかった！『クリスマス・キャロル』が書かれたのが1843年ってことに関係ありますか？

藤島 そうか！ 毎年ひとりずつ生まれるんですね、クリスマスに。

蒔岡 なるほど。クリスマスはイエス・キリストの誕生日で、西暦はイエスの誕生年から数えるんだから、1,800人以上の兄弟がいる。正確には全部兄ですよね。

越前 そうだね。イエスが生まれたのは紀元ぴったりじゃないという説もあるけど、この当時はまだぴったりだと信じられていたはずだし、数年ずれたところで、意味は同じだ。現在の精霊は、毎年ひとりずつ現れては消えていくというわけだ。今回の❾で、精霊は毎年入れ替わるからティムの命は1年もたないと書いたのも、このあたりが根拠となってるんだよ。

好きなアーティストは米津玄師。
えっ、先生もですか？
—Yoshikazu

『クリスマス・キャロル』
こぼれ話

『クリスマス・キャロル』の作品全体で、どの個所がいちばん好きかと尋ねると、料理の描写だと答える人がとても多いです。特にスクルージが現在の精霊とともに過ごす場面、中でもクラチット家の夕食やその準備の場面は、これでもか、これでもか、という感じでおいしそうな食べ物が並べられ、食欲を強烈にそそります。ここでは、作中に出てくる印象的な食べ物をいくつか紹介しましょう。

brawn

鶏肉やソーセージなど、肉や加工品のたぐいが列記されるところで、このbrawnも名前があがります。辞書を引くと「豚肉の塩漬け」などとあって、イメージがつかみにくいのですが、これはアメリカでheadcheeseと呼ばれる料理とほぼ同じで、豚の頭などを細かく刻んでゼリー状に固めたものです。日本で言う「煮こごり」にほぼ相当します。

twelfth-cake

クリスマスから数えて12日目（1月6日）をEpiphany（公現祭）といい、東方の三博士の来訪（第4講参照）を祝います。この日までがクリスマスの期間とされていて、飾りつけなどはこの日にはずすことが多いようです。その日はthe Twelfth Dayとも呼ばれ、その日の夜（またはその前夜）がthe Twelfth Night（十二夜）。twelfth-cakeはそのとき食べるので「十二夜ケーキ」と訳されます。ドライフルーツがたっぷりはいったケーキで、中に隠された豆（または硬貨など）にあたった人がその夜の「王」や「王妃」としてふるまうことができる、という習慣もあったようです。

goose

クリスマスに食べる鳥の肉と言えば、西洋では七面鳥が代表格ですが、この当時は七面鳥が高価だったので、ふつうの市民は鵞鳥を食べることが多かったようです。クラチット家の人たちが鵞鳥に大喜びしている様子を少しだけ紹介します。

> At last the dishes were set on, and grace was said. It was succeeded by a breathless pause, as Mrs. Cratchit, looking slowly all along the carving-knife, prepared to plunge it in the breast; but when she did, and when the long expected gush of stuffing issued forth, one murmur of delight arose all round the board, and even Tiny Tim, excited by the two young Cratchits, beat on the table with the handle of his knife, and feebly cried Hurrah!
>
> There never was such a goose. Bob said he didn't believe there ever was such a goose cooked. Its tenderness and flavour, size and cheapness, were the themes of universal admiration.
>
> いよいよテーブルの上に料理がそろい、家族は食前の祈りを唱えた。つづいて、クラチット夫人が肉切り包丁を端から端まで注意深くながめまわすのを、全員が固唾を呑んで見守った。夫人が包丁を鵞鳥の胸に突き刺し、お待ちかねの詰め物がどっとあふれ出ると、一同はいっせいに喜びの声を漏らした。ティム坊やでさえも、大興奮のふたり組につられてナイフの柄でテーブルを叩き、か細い声で「やったあ!」と言った。
>
> これほどまでにすばらしい鵞鳥がかつてあっただろうか。ボブが、これは世界一うまい鵞鳥にちがいない、と言った。柔らかくて風味がよく、そのうえ大きさの割に安いと、みなが口々に褒めたたえた。

読んだみなさんも食べたくなってきたのではないでしょうか。鵞鳥の肉はもちろんですが、中の詰め物も同じくらいおいしく、何が出てくるのかが楽し

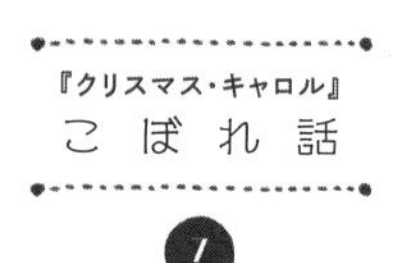

みだという人はいまでも多くいます。クラチット家ではsage and onion（香草のセージとタマネギ）がたっぷり詰まっていたことが、この個所の前後に書かれています。

pudding

これは第2講に比喩として出てきました。クラチット家の夕食では、gooseのあとにこれが出されて、みんな大喜びで食べ、そのあとにこの第7講の場面がつづきます。

Christmas pudding以外のプディングとしては、Yorkshire puddingやsteak and kidney puddingのように、デザートよりも料理の範疇に属すものや、bread puddingのように、デザートではあるけれど「プリン」とは似ても似つかないものなど、さまざまな種類があるので、画像検索などで調べてみてください。

原書でも訳書でもかまいませんから、何ページにも及ぶクラチット家の食事の場面をぜひ読んでみてください。文学史上最高に食欲を掻き立てる文章だと言っても過言ではありません。ディケンズの描写力のすばらしさはここにも表れています。

第8講

"He said that Christmas was a *humbug, *as I live!" cried Scrooge's nephew. "①He believed it too!"

"②More shame for him, Fred!" said Scrooge's niece, *indignantly. Bless those women; they never do anything *by halves. They are always in earnest.

She was very pretty: exceedingly pretty. With a *dimpled, surprised-looking, *capital face; a ripe little mouth, that seemed made to be kissed—③as no doubt it was; all kinds of good little dots about her chin, that melted into one another when she laughed; and ④the sunniest pair of eyes you ever saw in any little creature's head. ⑤Altogether she was what you would have called provoking, you know; but satisfactory, too. Oh, perfectly satisfactory!

"He's a comical old fellow," said Scrooge's nephew, "that's the truth: and ⑥not so pleasant as he might be. However, ⑦his *offences carry their own punishment, and I have nothing to say against him."

"I'm sure he is very rich, Fred," hinted Scrooge's niece. "At least you always tell *me* so."

"⑧What of that, my dear!" said Scrooge's nephew. "His wealth is of no use to him. *He don't do any good

現在の精霊に連れられたスクルージは、つづいて第2講に出てきた甥フレッドの家へ行きます。そこには、フレッドの妻（スクルージの姪）やその妹、友人などがいて、スクルージの悪口を言いますが、フレッドはそれをなだめます。この英文にはスクルージも精霊も登場しませんが、この場面を見守っています（あらすじ14ページ4〜9行）。下線部①〜⑫について、問いに答えてください。

① tooの意味に注意して、日本語にしてください。

② moreとshameの 意味に注意して、日本語にしてください。

③ asの役割やitの指すものに注意して、日本語にしてください。

④ little creatureやheadの意味に注意して、日本語にしてください。

⑤ altogetherやprovokingの意味に注意して、日本語にしてください。

⑥ この前後に何を補って考えるべきかに注意して、日本語にしてください。

⑦ their ownが何を指すかに注意して、わかりやすい日本語にしてください。

⑧ フレッドの気持ちがわかるように日本語にしてください。my dearを訳す必要はありません。

［注釈］

L.01 **humbug** たわごと、でたらめ（スクルージの口癖、第2講にもあり）　**as I live** ぜったいに、たしかに

L.04 **indignantly** 憤然と　L.05 **by halves** 中途半端に

L.07 **dimpled** えくぼのある　**capital** みごとな　L.17 **offence** 無礼なふるまい

L.22 **He don't**（=He doesn't）くだけた言い方

with it. He don't make himself comfortable with it. He hasn't the satisfaction of thinking — ⑨ha, ha, ha! — that he is ever going to benefit Us with it."

"I have no patience with him," observed Scrooge's niece. Scrooge's niece's sisters, and all the other ladies, expressed the same opinion.

"⑩Oh, I have!" said Scrooge's nephew. "I am sorry for him; I couldn't be angry with him if I tried. Who suffers by his *ill whims? Himself, always. Here, *he takes it into his head to dislike us, and he won't come and dine with us. What's the consequence? *He don't lose much of a dinner."

"⑪Indeed, I think he loses a very good dinner," interrupted Scrooge's niece. Everybody else said the same, and ⑫they must be allowed to have been *competent judges, because they had just had dinner; and, with the dessert upon the table, were *clustered round the fire, by lamplight.

⑨ フレッドはなぜ笑っているのでしょうか。

⑩ 省略されていることばを補って考え、日本語にしてください。

⑪ Indeedの意味に注意して、日本語にしてください。

⑫ 何を審判するのかに注意して、日本語にしてください。

［注釈］

L.31 **ill whim** ひどい気まぐれ　**he takes it into his head to** ～しようと決めこむ

L.33 **He don't lose much of a dinner.** やさしい英語に書き換えた現代語版では、ここは "He loses out on a bit of dinner." となっているので、「ちょっとした夕食を食べそこなった」などと考えてもいい。

L.38 **competent** 有能な　L.39 **cluster** 群がる

「クリスマスなんてくだらないってさ、ほんとうだよ！」スクルージの甥は言った。「①**それにあの人、本気でそう思ってるんだ！**」

「②**それもまたひどい話ね、フレッド！**」スクルージの姪は憤然として言った。こういうご婦人たちに幸あれ。何事も中途半端にできないのである。いつだって真剣そのものだ。

とてもかわいらしい、とびぬけてきれいな人だった。えくぼがあって、驚いたような、すてきな顔立ち。赤くふっくらした小ぶりな唇は、キスをされるために創られたようだ――③**ああ、そうに決まっている。**顎のあたりには愛らしい小さな点々があって、笑うと溶け合ってひとつになる。④**晴れやかでまぶしい目ときたら、生きとし生けるどんな可憐な顔を探してもけっして見つかるまい。**⑤**つまるところ、腹立たしいほどの美人というわけだが、申し分ない女性でもある。**そう、まったく申し分ないとも！

「おもしろいじいさんだよ」スクルージの甥は言った。「それはほんとうさ。⑥**それにしちゃ、あんまり感じがいいとは言えないけどね**。ただ、⑦**ああいう態度でいるせいで、自分も痛い目に遭ってる**んだから、あれこれ責めるつもりはないな」

「とってもお金持ちなのよね、フレッド」スクルージの姪は皮肉めいた口ぶりで言った。「あなた、いつもわたしにはそう言ってる」

「⑧**だからどうだって言うんだ**」甥は答えた。「いくらお金があったって、なんの意味もないよ。何かに役立てる気はないし、いい気分になるつもりもないんだ。いつかぼくたちに譲ってやろうと考えて満足するなんて――⑨**はっはっはっ！** そんなはずがない」

「わたし、あの人にはもう我慢ならないのよ」スクルージの姪は言った。姪の妹たちも、その場にいたほかのご婦人たちも、口々に同意した。

「⑩ぼくは平気さ」スクルージの甥は言った。「かわいそうな人だと思うんだ。どうがんばっても、怒る気にはなれない。あんなふうにへそを曲げて、苦しむのはだれだ？　いつだって自分自身じゃないか。こんどだって、ぼくたち夫婦をただ毛ぎらいして、うちへ食事にも来ない。その結果がどうだい？　まあ、たいしたごちそうを食べそこなったわけでもないけど」

「⑪とんでもない、とびきりのごちそうを食べそこなったのよ」スクルージの姪はさえぎって言った。全員がそのとおりだと言ったが、⑫ちょうど夕食を終えたところだから、審査員としては資格じゅうぶんだった。テーブルにはデザートが出され、ランプの明かりのなか、一同は暖炉のまわりに集まっていた。

① He believed it too!

tooの意味に注意して、日本語にしてください。

答 それにあの人、本気でそう思ってるんだ！

前の部分で、甥フレッドはスクルージのことを**He said that Christmas was a humbug...** と言っています。そのあとの発言に**too**をつけているのですから、並ぶべきことばは**said**と**believed**、つまり、「（口で）そう言っただけでなく、（本気で）そう信じて（も）いる」と言いたいはずです。

tooやalsoがあって、意味がはっきりしないときには、なぜそう言っているのか、**何と何を並べてそう言っているのか**をよく考えてみてください。

② More shame for him, Fred!

moreとshameの意味に注意して、日本語にしてください。

答 それもまたひどい話ね、フレッド！

shame forという熟語は特にないようですが、“**Shame on you!**”が「恥を知れ！」ですから、それに近い意味だと想像できます。**more**がついているのは、ほかにもスクルージに恥ずべき点があるからです。つまり、ほかの点と比較しているというより、あれもこれも恥ずべきことだと言っていると考えられます。

そのあとの個所では、憤然とする姪（フレッドの妻）を、語り手があたたかく見守っているのがわかります（スクルージ自身はそう感じていないでしょう）。

③ as no doubt it was;

asの役割やitの指すものに注意して、日本語にしてください。

答 ああ、そうに決まっている。

この前に**a ripe little mouth, that seemed made to be kissed**（キス

をされるために創られたような、赤くふっくらした小ぶりな唇）とあり、**it**は**mouth**以外に考えられません。**asは関係代名詞**で、**前後の句や節、あるいは文全体を先行詞とする**ものです。

The conference will be held next month, **as** is scheduled.
予定どおり、会議は来月開催される。

のようなケースですね。

この問題の**as no doubt it was**では、**as**の先行詞は**made to be kissed**だと考えられます。「まちがいなくその唇はキスをされるために創られていた」と語り手が断言するのは少々強引な気もしますが、この段落の残りの部分も含めて、あの手この手でこの女性の愛らしさを強調しています。

④ the sunniest pair of eyes you ever saw in any little creature's head

little creatureや**head**の意味に注意して、日本語にしてください。

答 晴れやかでまぶしい目ときたら、生きとし生けるどんな可憐な顔を探してもけっして見つかるまい

最上級のところは、もちろん「〜でいちばん」のようにしてもかまいませんが、この**you**はどちらかと言うと**人間全般**を指していて、「あなた」と訳さないほうがいいので、訳例のように裏返しの否定で処理するほうがうまくいくかもしれません。

この**little creature**が小動物（リスなど）を指しているのか、おもに人間を想定しているのかは、どちらとも決めきれません。訳文はやや人間寄りにしましたが、「どんな小動物と比べても」などでもいいでしょう。

headは機械的に「頭」と訳されがちですが、この単語が表すのは、通常は「首から上の部分」（頭部）です。ここでは、目のある場所を**head**と呼んでいるのですから、「顔」と訳すほうが適切です。**「head ≠頭」であることはとても多いので、注意してください**。

⑤ Altogether she was what you would have called provoking, you know; but satisfactory, too.

altogetherや**provoking**の意味に注意して、日本語にしてください。

答 つまるところ、腹立たしいほどの美人というわけだが、申し分ない女性でもある。

altogetherは「ここまで数行にわたって書かれてきたことをまとめて言えば」という感じで、「全体としては」「すべてひっくるめると」などでもOK。

provokingがなかなかむずかしい。そのまま言えば「挑発的」「癪に障る」というマイナスのイメージのことばであり、そのあとの**but**の逆接によって、**satisfactory**へうまくつながります。ただ、ここまで、べた褒めというほど、スクルージの姪に対するプラスのイメージのことばを重ねてきただけに、**provoking**をただのマイナスのことばにしたくなくて、訳例では「腹立たしいほどの美人」としました。

⑥ not so pleasant as he might be

この前後に何を補って考えるべきかに注意して、日本語にしてください。

答 それにしちゃ、あんまり感じがいいとは言えないけどね

直前にある主語+動詞を具えた形は**that's the truth**ですが、**not so...**の前に**that's**を補っても意味は通りませんし、**as**以下との対比を考えても、ここは少し前の**He's a comical old fellow.**を受けて、**[he's not] so pleasant as he might be**を完全な形として考えるべきです。

後半の**he might be**のあとには**if he's a comical fellow**あるいは**because he's a comical fellow**などを補って考え、「おもしろいじいさんだったら(なのだから)感じがよくてもおかしくない、それなのにそのレベルに達していない」というふうに意味を補うといいでしょう。

なお、**pleasantの意味は「(本人が)楽しい」ではなく、「(周囲を)楽しませる」**ですから、「愛想がよい」はOKですが、「機嫌がよい」は意味がちがいます。

⑦ his offences carry their own punishment

their ownが何を指すかに注意して、わかりやすい日本語にしてください。

答 ああいう(無礼な)態度でいるせいで、自分も痛い目に遭ってる

their ownが指すのは直前の**his offences**。訳しにくい文ですが、攻撃的な態度が自分自身の罰をもたらすのですから、「自業自得」を伝える言い方であればなんでもいいでしょう。

⑧ What of that, my dear!

フレッドの気持ちがわかるように日本語にしてください。**my dear**を訳す必要はありません。

答 だからどうだって言うんだ。

この**of**は原因や材料を表すものであり、**because of**や**be made of**などを置き換えてみるとわかりやすいでしょう。**that**が指すのは、スクルージが金持ちであることです。「伯父が金持ちなのはたしかだが、そのことが何を生じさせるのか」というのがくわしい意味ですが、「それがどうした?」などと訳しても問題ありません。

⑨ ha, ha, ha!

フレッドはなぜ笑っているのでしょうか。

答 スクルージが自分たちに金を譲ることなど、ぜったいにありえないから。

前の文までで、スクルージには金を貯めて本人のために使う気すらないという意味のことを言っていますから、ましてや自分たちの利益になるようなことをしてくれるはずがなく、それを言う前に先に笑ってしまったのです。訳文では、なぜ笑ったのかがわかるように、**ha, ha, ha!**よりもあとの部分を先にまわして処理しています。

⑩ Oh, I have!

省略されていることばを補って考え、日本語にしてください。

答 ぼくは平気さ。

3行前の“**I have no patience with him,**”に対する反論に近いもので、完全な形にすれば“**Oh, I have patience with him.**”と言いたいのですから、「ぼくは我慢できる」ということです。**Oh**の部分に何か訳語を入れるとしたら、反論なので「いや」がいちばん自然でしょう。

⑪ Indeed, I think he loses a very good dinner,

Indeedの意味に注意して、日本語にしてください。

答 とんでもない、とびきりのごちそうを食べそこなったのよ。

この前の甥の台詞（**He don't lose much of a dinner.**）については、「まあ、たいしたごちそうを食べそこなったわけでもないけど」と、いささか自虐的に訳しましたが、注釈にも入れたように「ちょっとした夕食を食べそこなった」などとしてもいいです。

いずれにせよ、甥は自分の家の夕食がぜいたくなものではないと言ったわけですが、姪は「（おもに自分が用意した）わが家の夕食はじゅうぶんに誇れるものだ」と反論したわけです。前の甥の台詞を「ちょっとした夕食〜」と訳すなら、「それどころか、とびきりのごちそう〜」と訳す手もあるでしょう。

indeedの意味として、「ほんとうに」「非常に」「たしかに」などの訳語で強調を表すケースしか知らない人が多いのですが、**indeed**にはそれとは異なった使い方をする場合が少なからずあります。それは、「**前に書かれた内容を確認した上で拡充・強調する**」という用法です。たとえば、

He is a rich man, **indeed**, a millionaire.
彼は金持ちだ。いや、それどころか、億万長者だ。

のように、ある説明をしたあとで、それよりワンランク上の表現のほうが適当だと説明する場合ですね。この**indeed**は文中にあってもいいし、文が切れてつぎの文の頭にあってもかまいません。本文にある例も、

He don't lose much of a dinner.
たいしたごちそうを食べそこなったわけじゃない（ちょっとした夕食を食べそこなった）。

Indeed, I think he loses a very good dinner,
いや、それどころか、とびきりのごちそうを食べそこなった。

のように、同じ構造になっているのがわかるでしょう。

このindeedと同じ使い方をするのが**in fact**で、やはり「それどころか」などが適訳です。「事実」や「実際」といった訳語でどうもぴったりしないときは、たいがいこの例です。

⑫ they must be allowed to have been competent judges, because they had just had dinner

何を審判するのかに注意して、日本語にしてください。

答 ちょうど夕食を終えたところだから、審査員としては資格じゅうぶんだった

２行前でスクルージの姪が「とびきりのごちそう」と言いましたが、その場にいた面々は実際にその食事を口にしたばかりなのだから、「とびきりのごちそう」かどうかを判定する審査員としての資格がじゅうぶんだということです。

they must be allowed to have been competent judgesの部分をより逐語的に訳すと、「有能な審査員だったと認められるにちがいない」となります。

スクルージを大きく動かすふたりの人物

 沖田　なんていい子なんでしょう、この甥。

 蒔岡　ちょっとできすぎよね。わたしにはとうてい無理。姪の気持ちのほうがずっとよくわかります。

 藤島　でも、こういう理解のある親族がいないと、スクルージはほんとうにダメ人間になっちゃうんじゃないでしょうか。

 越前　おや、藤島くんがいちばん大人だね。この甥は第２講にも出てきて、スクルージを夕食に誘い、文句を言われてもぜんぜんへこたれなかった。それでいて、言うべきことはしっかり言ってたね。

 藤島　スクルージを改心させる最大の功労者ですよね。

 沖田　いや、ティム坊やのほうが上よ。

 蒔岡　そのふたりの力が同じくらい大きくて、精霊はそれをうまく利用する。そういう図式では？

藤島・沖田　あ、なるほど。

 越前　そうだね。この甥だけど、スクルージから見ると、亡くなった妹の息子にあたる。あらすじの11ページ10〜14行にもあるとおり、子供のころ、兄妹はとても仲よくやっていて、スクルージは妹を心から愛していた。だから、この甥は先立った妹の忘れ形見であり、**亡き妹からのメッセージを代弁する立場**とも言えるんだ。

 沖田　ティムはほかのだれかの意志を代弁してたりするんですか？

 越前　おそらく、当時のロンドンの子供たち全体だな。それについては、このあとの「こぼれ話８」に書くつもりだ。

「ルール」どおりじゃない文にも慣れよう

 **藤島**　今回は文法のことなんかで、いくつか質問があります。

 **沖田**　あ、わたしも。

 **蒔岡**　わたしは、イメージが湧かなかった個所がひとつありました。

 **越前**　じゃあ、本文に出てくる順番に聞いていこうか。

 **蒔岡**　最初はたぶんわたしですね。9行目から10行目の文に出てくる**good little dots**とか、そのあとの**melted into one another**とか、どういう状態を表しているのか、よくわかりませんでした[➜P.196]。**dots**って、そばかすですか？

 **沖田**　ほくろかもしれない、とも思いました。

 **藤島**　ぼくはぜんぜんわかんなくて、そういうのが全部溶け合って笑ってるのが、不気味っていうか、こわいっていうか……。

 **越前**　ぼくもわからない。そばかすやしみかもしれないし、ほくろかもしれないし、ただの凸凹や「あばた」のたぐいかもしれない。「あばたもえくぼ」ということわざを思い出したけど、それはあたらずといえども遠からず、じゃないだろうか。とにかく、**この上なく愛らしい女性だから、ちょっとした欠点のように見られがちなところまで輝いて見える**わけだ。だから訳文では、どうとでもとれるように「小さな点々」としたんだよ。

 **沖田**　つぎはわたしですね。⑤の文は**Altogether she was what you would have called provoking, ...** となってて、**you would have called**のところは仮定法過去完了ですよね[➜P. 204]。その前が**was**だから、「過去の事実に反する仮定」ということで、仮定法過去完了を使うのが正しいのかと思ったんですけど、でも、仮定法って、時制の一致の影響を受けないんですよね？　なん

だか、頭がこんがらがってきちゃって……

越前 ああ、それはいい質問だと思う。ただ、小説なんかで、その「時制の一致の影響を受けない」ルールが守られないことはしばしばあるね。文法的には、**she was**のあとで**what you would call**（仮定法過去）と書くのが正しいんだろうけど、過去の文の直後だから、勢いで**would have called**と言ってしまったというわけだ。こういうのは、意味が大きく変わるような場合以外は、言う側も読む側もたいして気にしなくていい。**日本語の文章でも、この程度の「ぶれ」はけっこうある**んじゃないかな。もちろん、自分自身でフォーマルな英語を書くときにはしっかり気をつけなきゃいけないけどね。

沖田 なるほど。

藤島 ぼくは「仮定法は時制の一致の影響を受けない」というルールそのものを知らなかったから、そこはなんの疑問もなかったんですけど、結局そのルールは知らなくていいってことですか？

越前 そうじゃない。ルールを知ったうえで、ある程度の例外も認めなきゃいけないってことだ。**外国語を習得する場合は、まずフォーマルを知って、そこから崩れた形へ応用していくのがいちばん早道**だ。そうしないと、ろくな内容のものは読めないんだよ。

pleasantとpleasedの区別はできている？

藤島 わかりました。つぎはぼくから質問です。⑥の説明のところで、**pleasant**について、「「愛想がよい」はOKですが、「機嫌がよい」は意味がちがいます」とあります［➔P. 204］。なんだか、わかったような、わからないような感じなんですけど。

越前 **please**の意味が「楽しむ」ではなく「楽しませる」だということ

は知ってるね？

 藤島　はい。

 越前　愛想がよい人というのは、ひょっとしたら心のなかはダークかもしれないけど、まわりの人を楽しませようとしてる人だ。一方、機嫌がよい人のほうは、どっちかと言うと、自分の内面の喜びがにじみ出してる人のことだろう？

 沖田　「ご機嫌な人」もそうですよね。

 藤島　そうか……じゃあ、ここでpleasantのかわりにpleasingと言っちゃいけないんですか。

 越前　pleasingでもほぼ同じだよ。そもそも、**-antというのはラテン語でもいまのフランス語なんかでも、現在分詞を作る接尾語だから、-ingとかぎりなく意味が近いんだ**。その名残で-antで終わる形容詞はいくつもある。ignorant（ignore）とか、defiant（defy）とか、abundant（abound）とか。

 蒔岡　先生、「愉快な」って、pleasedですか、pleasantですか。

 越前　「愉快な」は微妙なことばだね。国語辞典で「愉快」を引くと、「楽しく心地よいこと」とあるから、自分自身が楽しい、つまりpleasedのほうかという気がするんだけど、「愉快な人」って、みんな、どっちの意味で使う？ 周囲から見て楽しい、つまり、本人から見ると「楽しませる」人じゃないかな。

 藤島　どっちかと言うと、そうだと思います。

 越前　だとしたら、pleasantだ。ところが、「愉快そうな人」はどうだろうか。そっちは自分が楽しそうにしているってことじゃないかな。

 沖田　日本語って、むずかしい！

 蒔岡　ほんとに。

越前　どの言語にも、そういうグレーゾーンというか、説明不能の部分はあるんだと思う。とりあえず、ここでは、**pleased**と**pleasant**（**pleasing**）の区別が自分のなかでしっかりできてればOKだ。

わりとふつうに使われていたりする“He don't ”

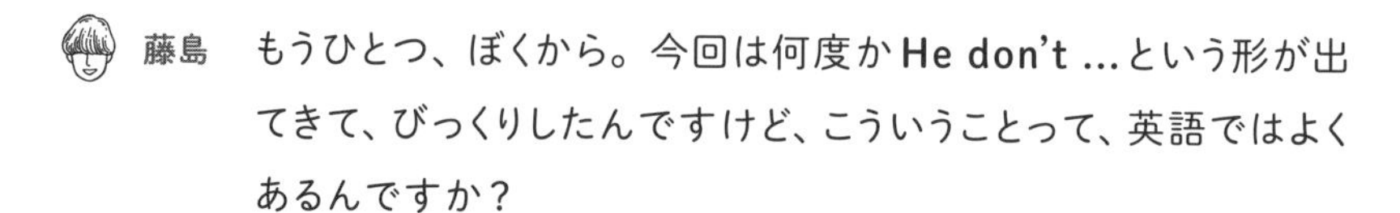

藤島　もうひとつ、ぼくから。今回は何度か**He don't ...**という形が出てきて、びっくりしたんですけど、こういうことって、英語ではよくあるんですか？

越前　それぐらいはよくあるね。日本語で言う「ら抜きことば」程度じゃないかな。沖田さんは今回も訳文作りで冒険して、そこを「そうちてるんだ」なんて訳してるね。おもしろい試みだけど、この表現はそこまで幼稚な感じじゃないと思う。

沖田　えへへ。

藤島　こういうのがいっぱい出てくるんだったら、英語の小説がちゃんと読めるようになるのかどうか不安です。

越前　だいじょうぶだよ、さっきも言ったように、フォーマルな英語をルールに従って読む練習をしっかりこなせば、よほどの悪文じゃないかぎり、読めるようになる。現に今回、きみは正しい形の**He doesn't**に脳内変換できたじゃないか。

藤島　それはそうですけど……。

越前　この勉強会を８回やっただけでも、ものすごく進歩してるさ。

沖田　つぎ、いいですか。これは質問というより感想ですけど、⑪の**indeed**の意味にはびっくりしました［➜P.206］。たぶん、大学受験までの英語でも、こういう**indeed**や**in fact**を見かけたはずなのに、気づきませんでした。だれにも教わらなかったと思います。

 **越前**　ぼくは自分が予備校にかよっていたころに、**『英文解釈教室』**の著者の伊藤和夫先生から、おそらく10回以上聞いたな。まあ、2年かよったからだけど。

 藤島　えっ、先生、2浪したんですか。

 蒔岡　えっ、知らなかったの？　そうよ。

 **越前**　蒔岡さん、よけいなことを……わざわざ自分から言うことじゃないけど、そうだよ。いろんな意味で、それがいまの仕事に役立ってる部分はたくさんある。それはそうと、その**indeed**や**in fact**の意味については、いまでもあまり浸透してるとは言えないのが残念だな。

沖田・藤島　忘れないようにします。

疑問符・感嘆符は日本語にどう反映させるか

 藤島　最後の質問です。今回だけの話じゃないんですけど、先生の訳文を見ると、原文にびっくりマークがついてても、かならずしもびっくりマークがはいってないというか、はいってるときとはいってないときがありますよね。今回だと、①と②ははいってるけど、⑧と⑩ははいってません［➜P.200］。これは何か理由があるんですか。

 **越前**　びっくりマークでもいいけど、感嘆符と呼ぶことにするよ（笑）。アメリカ英語だと**exclamation point**、イギリスだと**exclamation mark**と言う。これについては、むしろ先に疑問符（**question mark**）の話をしたほうがいいと思う。

みんなも知ってるとおり、英語では疑問文の最後に疑問符をつけるのがほぼ絶対のルールだ。でも、**日本語の場合、そもそ**

もそんなルールなんかない。たとえば、「おいしいですか」と書いてあれば、文末の「か」を見て、それだけで疑問文、というか、問いかけの文だとだれもがわかる。だから、ふつうは疑問符なんかつける必要はないんだ。じゃあ、つける必要があるのはどういうときかというと、「もう起きた？」とか「それはいつ？」みたいに、つけないと問いかけの文だとわからない場合だ。逆に、そうでないかぎり、つけなくてもいいと言ってもいいくらいだ。

沖田　でも、「おいしいですか」と「おいしいですか？」では、印象がだいぶちがいますよね。疑問符があるほうが、強く尋ねてるというか、気持ちがこもってるというか。

越前　そのとおり。だから、問いかけの気持ちを強く表したいときには、日本語でも疑問符をつけたほうがいい。強いか弱いかの境目をどう判断するかは、読む人それぞれだけどね。とにかく、**英語よりもかなり少なくするほうがいい**のはたしかだ。

藤島　で、びっ――じゃなくて、感嘆符のときはどうなるんですか。

越前　疑問符ほどじゃないけど、英語より控えめにしたほうがいいね。英語の場合、感嘆文は感嘆符で終わるというルールがあるけど、日本語の文法概念に感嘆文というものはないし、それを言うなら、感嘆符も疑問符も日本語の記号じゃない。それに、細かいことを言うと、たとえば英語の横書きで“**He believed it too!**”と書くのと、日本語の縦書きで「あの人、本気でそう思ってるんだ！」と書くのでは、もちろん半角と全角のちがいもあるけど、日本語の疑問符のほうがはるかに目立って見えると思わないか。

沖田　あ、ほんとだ。

藤島　そうですね、英語のほうは **i** や **t** なんかと並んでると目立たない。

越前　英語を日本語にするときは、耳で聞いたときの響きと目で見たときの印象、両方に気をつかう必要があるんだ。

蒔岡　思いきって言ってしまいますけれど、若い人たちの書くメールやLINEなんかの文章は、びっ――感嘆符がいっぱい並んでいて、ちょっときついです。

藤島　うわっ。

沖田　きゃっ。

越前　ぼくも以前はそう感じることが多かったけど、最近はずいぶん慣れてきたし、ことばは少しずつ変化していくものだからね。ただ、**あまりたくさん使いすぎると、ほんとうに大事なことを伝えたいときに効果が弱まってしまう可能性がある**。翻訳でもふだん書く文章でも、ふだんは抑え気味にして、めりはりのある書き方をするほうが結局は大事なことが伝わりやすいと思うよ。

『クリスマス・キャロル』

こ ぼ れ 話

現在の精霊が登場する章の最後に、精霊が衣のひだのあいだに隠れていた醜く汚い子供ふたりをスクルージに見せる個所があります（あらすじ14ページ 27行〜15ページ 5行）。『クリスマス・キャロル』の作品全体のテーマに大きくかかわる個所なので、少しだけここで紹介します。

> "Spirit! are they yours?" Scrooge could say no more.
>
> "They are Man's," said the Spirit, looking down upon them. "And they cling to me, appealing from their fathers. This boy is Ignorance. This girl is Want. Beware of them both, and all of their degree, but most of all beware this boy, for on his brow I see that written which is Doom,..."
>
> 「精霊殿、あんたの子なのか」スクルージはやっとそれだけ言った。
>
> 「人の子だよ」精霊はふたりを見て言った。「親から逃れておれにすがっている。男の子は〈無知〉、女の子は〈欠乏〉だ。このふたりや同類たちにくれぐれも用心することだ。特に男の子には注意しろ。額に〈破滅〉と書いてあるのが見えるだろう（以下略）」

ディケンズは1843年10月におこなった講演で、犯罪の原因は無知であり、多くの人が学問を身につける必要があると強く訴えました。また、その年には貧困層の子供たちの劣悪な生活環境についてくわしく調べ、作家としての自分が何かできないかと模索していたと言われています。そんなときに『クリスマス・キャロル』の物語を思いつき（原型になった作品は以前に存在しました）、わずか1か月半で書きあげました。だから、作中の子供ふたり、〈無知〉と〈欠乏〉は、当時のイギリスで実際によく見られた子供たちを象徴し、この物語のいちばんのテーマを凝縮した存在だったわけです。

スクルージがティム坊やに同情し、ティム坊やがこの作品の「影の主役」とも呼ぶべき存在感を示していること、そして現代の読者のあいだでもティム坊やが登場人物のなかでいちばん人気なのは、作者の計算どおりのことだったと言っていいでしょう。

Lecture 9

第9講

The Phantom spread its dark robe before him for a moment, like a wing; and withdrawing it, ①revealed a room by daylight, where a mother and her children were.

She was expecting some one, and ②with anxious eagerness; for she walked up and down the room; *started at every sound; looked out from the window; glanced at the clock; tried, but in vain, to work with her needle; and could hardly bear the voices of the children in their play.

At length the long-expected knock was heard. She hurried to the door, and met her husband; a man whose face was *care-worn and depressed, though he was young. There was ③a remarkable expression in it now; ④a kind of serious delight of which he felt ashamed, and which he struggled to *repress.

He sat down to the dinner that had been *hoarding for him by the fire; and when she asked him faintly what news (⑤which was not until after a long silence), he appeared embarrassed how to answer.

"Is ⑥it good," she said, "or bad?"—to help him.

"Bad," he answered.

"We are quite ruined?"

スクルージは未来の精霊に連れられて街を飛びまわり、ある男が死んだという話をそこかしこで耳にします。人々はその男の死に対してまったく無関心でした。スクルージが精霊に対し、この男の死によって感情を動かされている人のもとへ連れていってくれと頼むと、精霊はある夫婦の前へスクルージを導きます(あらすじ16ページ 15〜19行)。下線部①〜⑫について、問いに答えてください。

① by daylightの意味に注意して、日本語にしてください。

② この個所から、この女性がどんな気持ちでいるとわかるでしょうか。

③ ここでのremarkableはどういう意味でしょうか。また、なぜremarkableなのでしょうか。

④ わかりやすい日本語にしてください。「〜なのに〜」のような形にすると、うまくいくかもしれません。

⑤ 簡潔な日本語にしてください。

⑥ これは何を指していますか。

[注釈]

L.06 **start** 驚く　L.12 **care-worn** 苦労でやつれた

L.15 **repress** 抑えつける、鎮める　L.16 **hoard** 蓄える、貯蔵する

"No. There is hope yet, Caroline."

⑦"If *he* *relents," she said, amazed, "there is! Nothing is past hope, if such a miracle has happened."

"⑧He is past relenting," said her husband. "He is dead."

⑨She was a mild and patient creature if her face spoke truth; but she was thankful in her soul to hear it, and she said so, with *clasped hands. She prayed forgiveness the next moment, and was sorry; but ⑩the first was the emotion of her heart.

"⑪What the half-drunken woman whom I told you of last night, said to me, when I tried to see him and obtain a week's delay; and what I thought was a mere excuse to avoid me; turns out to have been quite true. He was not only very ill, but dying, then."

"To whom will our debt be transferred?"

"I don't know. But before that time we shall be ready with the money; and ⑫even though we were not, it would be a bad fortune indeed to find so merciless a *creditor in his *successor. We may sleep to-night with light hearts, Caroline!"

⑦ heがイタリック体で表されていることや、pastの意味に注意し、なぜ驚いているのかがわかるように日本語にしてください。

⑧ 前文と同じく、pastの意味に注意して、日本語にしてください。

⑨ だれの視点で書かれているかに注意して、わかりやすい日本語にしてください。

⑩ これは何を指していますか。

⑪ 文全体の主語と動詞が何であるかを見きわめて、わかりやすい日本語にしてください。2文、3文に分けて訳してかまいません。

⑫ 後半で仮定法が使われていることに注意して、わかりやすい日本語にしてください。

［注釈］

L.24 **relent** 大目に見る、手加減する　L.30 **clasp** 握りしめる

L.41 **creditor** 債権者　L.42 **successor** 後継者

精霊はスクルージの前でほんの一瞬、黒い衣を翼のようにひろげた。翼をもとにもどすと、①**日差しを浴びてそこに現れたのは、ある部屋で過ごす母親と子供たちだった。**

母親はだれかの帰りを②**不安げに待ちわびて**いた。部屋を行ったり来たりして、かすかな物音にも驚き、窓の外をうかがい、時計をちらちら見やり、針仕事に精を出そうにも気が散ってしかたなく、遊んでいる子供たちの声にも苛立ちを隠せずにいた。

ようやく、待ちかねたノックの音が響いた。母親はドアへ急ぎ、夫を出迎えた。まだ若いのに心労にやつれ、生気のない顔をした男だった。いま、その顔には③**奇妙な表情**が浮かんでいる。④**うれしくてたまらないのに、そう感じることを恥じて、懸命に抑えこもうとしているかのようだ。**

夫は、冷めないよう火のそばに置いてあった夕食の前に腰をおろした。妻がおずおずと（⑤**それも長い沈黙のあとでようやく**）どうだったかと尋ねると、夫は困った顔で、どう答えてよいかわからないようだった。

「いい⑥**知らせ？**」妻は助け舟を出した。「それとも、悪い知らせ？」

「悪い知らせだ」夫は答えた。

「わたしたち、もう破産なの？」

「いや。まだ望みはあるんだ、キャロライン」

⑦**「よりによってあの人が大目に見てくれるのなら」妻は驚いて言った。「たしかに望みはある。そんな奇跡が起こったとしたら、希望がないはずがない」**

「⑧**大目に見るどころか**」夫は言った。「あの人は死んだよ」

⑨**その顔立ちが真実を表すとしたら、妻はおとなしく辛抱強い性格だった。**それでも、この知らせを聞いたとき、妻は心から感謝し、両手を組み合わせて、喜びの声をあげた。つぎの瞬間、あわてて許しを請い、申しわけなさそうな顔をした。しかし、⑩**最初に口をついて出たことこそ**が、偽りのない本心だった。

「⑪**1週間待ってくれないかとあの人に頼みにいったとき、酔っぱらった女がいたことはきのう話したろう。あの女が言ってたことは、ぼくを避けるための単なる口実だと思ったけど、ほんとうだったんだ。**具合がひどく悪いだけじゃなく、あのときまさに死にかけてたんだよ」

「わたしたちの借金はだれに返すことになるの？」

「わからない。でも、そのときまでには金を工面できるだろう。⑫**もし間に合わなかったとしても、あれほどまで情け知らずの人間が引き継ぐなんてことは、よほど運が悪くないかぎりありえない。**今夜は安心して眠れるよ、キャロライン！」

① revealed a room by daylight, where a mother and her children were

by daylightの意味に注意して、日本語にしてください。

答 日差しを浴びてそこに現れたのは、ある部屋で過ごす母親と子供たちだった

revealedの主語は文頭のThe Phantomであり、ここはreveal A by Bの形で「BによってAをあらわにする」という意味です。

whereの先行詞は、by daylightを飛び越えて**a roomです**。whereの前にカンマがあるため、そこでいったん流れが止まり、全体としては「精霊が昼の光によってある部屋を出現させ、その部屋には母親と子供たちがいた」という意味になります。訳例は、スクルージの視点に立って、「現れたもの＝母親と子供たち」を強調する形にしました。

② with anxious eagerness

この個所から、この女性がどんな気持ちでいるとわかるでしょうか。

答 不安をかかえながら、夫の帰りを待ち焦がれている。

anxiousについては、よく知られている熟語がふたつあります。

be anxious **for** 　～を強く願う、切望する

be anxious **about** 　～を心配する、不安に思う

これらのanxiousは、文中で基本的には**補語（C）の働き**をしていて、**形容詞のこの用法を「叙述用法」と言います**。

一方、今回のanxious eagernessのように、**おもに名詞の前に置かれてその名詞を修飾する場合は、「限定用法」と言います**。

くわしい辞書を引いてもらえばわかりますが、**anxiousは限定用法のときには「不安な」の意味でしか使われません**。eagernessの意味は「切望」ですから、anxious eagernessは「不安と切望が入り混じった気持ち」ということになります。

このあとの記述からもわかるように、おそらく夫は借金の返済を延期してもらえるかどうかの交渉に出かけていて、妻はその結果を一刻も早く知りたくて不安げに待ちわびているのです。

③ a remarkable expression

ここでのremarkableはどういう意味でしょうか。また、なぜremarkableなのでしょうか。

答 奇妙な（特徴的な、驚くべき、珍しい）
喜びでいっぱいであるにもかかわらず、それを抑えつけるという、ふだんはまず見られない表情だから。

今回の範囲では、**夫も妻も心のなかでふたつの感情がせめぎ合っている**ことを正確に読みとれるかどうかが重要です。その最初のキーワードになるのがこの**remarkable**です。

ここで夫が**remarkable**な表情をしている理由は、つぎの④に書かれている内容そのものです。大喜びしているのに、それを懸命に抑えつけようとしている表情というのは、（それを見ているスクルージにとって）あまりに珍しく、驚くべきものであるはずです。

④ a kind of serious delight of which he felt ashamed, and which he struggled to repress

わかりやすい日本語にしてください。「〜なのに〜」のような形にすると、うまくいくかもしれません。

答 うれしくてたまらないのに、そう感じることを恥じて、懸命に抑えこもうとしているかのようだ

英語の構造としては、**serious delight**（大きな喜び）のあとに**of which he felt ashamed**と**which he struggled to repress**という**ふたつの関係詞節が並列の形でつづいています**。ふたつとも**delight**とは矛盾する内容（恥じて

いる、抑えつけようとしている）なので、上記の訳文のように「〜なのに〜」でつなぐとわかりやすくなります。

⑤ which was not until after a long silence

簡潔な日本語にしてください。

答 それも長い沈黙のあとでようやく

not untilについては、

It was **not until** last month that she began to examine it.
先月に**なってはじめて**、彼女はそれを検討しはじめた。

のような決まり文句で覚えている人が多いでしょう。ここはそれのいわば変化形で、「長い沈黙のあとになってはじめて」という意味になります。この直前の**what news**はちょっと舌足らずな言い方で、たとえばそのあとに**he had**などが省略されていると考えればいいでしょう。**which**の先行詞は**she asked him faintly what news**［**he had**］全体です。

⑥ it

これは何を指していますか。

答 news（知らせ）

itを漠然とした状況と見なすこともできますが、少し前にある名詞**news**を受けると考えれば「いい知らせなのか、悪い知らせなのか」と尋ねていることになり、筋が通ります。

newsは複数形ですが、単数扱いする名詞ですから、**it**に置き換えることができます。

⑦ "If *he* relents," she said, amazed, "there is! Nothing is past hope, if such a miracle has happened."

heがイタリック体で表されていることや、pastの意味に注意し、なぜ驚いているのかがわかるように日本語にしてください。

答 「よりによってあの人が大目に見てくれるのなら」妻は驚いて言った。「たしかに望みはある。そんな奇跡が起こったとしたら、希望がないはずがない」

第３講の①で扱ったように、**イタリック体は何かを強調するために使われる**ことが多いです。ここでheがイタリック体で表されていることには、「relentするはずがない人物が万が一relentするようなことがあれば」という含みがあると考えられ、だからこそ、妻は驚きながら（amazed）、奇跡（miracle）ということばを使っています。

真ん中あたりのpastは、あまり多く見られない用法で、意味がとりにくいでしょう。**このpastは前置詞で、「（影響などが）及ばない」「（限度などを）超えて」といった意味で使われています**。『ランダムハウス英和大辞典』にある"He is past hope of recovery.（回復の見込みがない）"という例文が、ちょうどhopeを使っているので、わかりやすいと思います。この類義語としては**beyond**があげられます。

ここでは、Nothing is past hope. と言っているのですから、「希望の及ばないものは何もない」、つまり「ぜったいに希望がある」という意味になります。

⑧ He is past relenting,

前文と同じく、pastの意味に注意して、日本語にしてください。

答 大目に見るどころか（大目に見るなんて無理だよ）

この past は前文と同じ用法で、そのまま言えば「大目に見ることなどありえない」ということです。そのあとで「死んでいるんだから」とつづくのは、ちょっと気のきいたことば遊びやブラックジョークのたぐいだと言ってもいいかもしれません。この夫にはそんなことを言う精神的余裕はなかったはずですが、思わず口をついて出たのでしょう。

⑨ She was a mild and patient creature if her face spoke truth;

だれの視点で書かれているかに注意して、わかりやすい日本語にしてください。

答 その顔立ちが真実を表すとしたら、妻はおとなしく辛抱強い性格だった。

第８講もそうでしたが、今回もスクルージは登場しないものの、この場面を精霊といっしょに見守っていますから、全体にスクルージの視点で書かれていると言えます。

一方、語り手がところどころで顔を出してくるのも、この作品の特徴です。第１講では、はっきり「わたし」の存在が見えていて、その後は姿を現すことはないものの、第８講の第２、第３段落のように、客観的とはとうてい言えない立場で登場人物について「論評」したりすることもあります［➔P.196］。

⑨ではじまる段落については、**スクルージの視点と語り手の視点が混在しているような印象を受けます**。まず、**if her face spoke truth**は、少しくわしく言えば「彼女の顔立ちや顔つきがどういう人柄であるかを正しく物語っているとしたら」ということで、これはスクルージがこの女性について判断しているとも読めますし、語り手が読者に向けて説明しているとも読めます。

その前の**creature**は、第８講の④のように「小動物」と見なせる可能性はほとんどなく、「人間」という意味でしょう。穏やかで辛抱強い人柄だということです。

この段落は、つづく部分についても、ふたつの視点が合わさったような感じで、この妻の微妙な感情の動きをみごとに描写しています。

⑩ the first

これは何を指していますか。

答 最初に口をついて出たことば、または最初に感じたこと。つまり、男の死を喜んだこと。

---

the firstは、「最初の反応」「最初の発言」「最初の感情」のどれと解釈しても問題ないでしょう。「発言」「反応」なら、前の行の**said so**の内容だと言えますし、「感情」なら**thankful**です。どちらにせよ、男の死を喜んだ(感謝した)ことを指しています。

⑪ What the half-drunken woman whom I told you of last night, said to me, when I tried to see him and obtain a week's delay; and what I thought was a mere excuse to avoid me; turns out to have been quite true.

文全体の主語と動詞が何であるかを見きわめて、わかりやすい日本語にしてください。2文、3文に分けて訳してかまいません。

答 1週間待ってくれないかとあの人に頼みにいったとき、酔っぱらった女がいたことはきのう話したろう。あの女が言ってたことは、ぼくを避けるための単なる口実だと思ったけど、ほんとうだったんだ。

長くこみ入った文ですが、左から右へゆっくり読んで、文全体の構造を見きわめましょう。

文の先頭にWhatがあるときには、いくつかの可能性がありますが、**疑問文の語順ではないことはすぐわかるので、whatではじまる名詞節が文全体の主語になると予想して読んでいく**のがふつうです(もちろん、目的語が前置されている可能性などもありますが、その場合はそう気づいた時点で修正します)。

what節のなかの主語は**the half-drunken woman**で、**whom**から**last**

nightはそれを修飾している形容詞節ですから、この主語に対する述部はsaid to me。ここでいったんwhatではじまる名詞節がまとまります。そのあとのwhenからdelayまでは副詞節ですから、文の大きな流れに影響を与えません。delayのあとは**セミコロン（;）**で、ここまで何度も説明したとおり、これはカンマより大きい切れ目ですから、いったんここで区切ります。となると、文頭のWhatからセミコロンまでが文全体の長い主部であろうと予想できます。

つぎに、andのあとがまたwhatではじまっているので、ここはふたつ目の主語がはじまった可能性が高い。what I thought was…の部分は**連鎖関係代名詞節**と呼ばれ、少々説明がややこしくなりますが、とりあえずI thoughtをはずして、What was a mere excuse to avoid me（ぼくを避けるための単なる口実だったもの）というまとまりで理解し、そこにI thoughtをはさみこんで、「ぼくを避けるための単なる口実だとぼくが考えたもの」とでもすれば、正しい意味になります。

ここをもう少しくわしく説明しましょう。**関係代名詞whatはthe thing thatを1語で表したもの**ですから、この個所ではもともと

I thought **the thing** was a mere excuse to avoid me.

という英文が土台にあったと言えます。そのthe thingが前に出て

the thing that I thought was a mere excuse to avoid me

となり、下線部がwhatに変わって

what I thought was a mere excuse to avoid me

となったわけです。そしてこのあと、ふたつ目のセミコロンが来ますから、ここが第2の主語だと予想できます。

ふたつの主語（と予想したもの）のあとに**turns out**という動詞が来ますから、これが文全体の述語動詞であることがわかり、ここまでの予想が正しかったことも確認できます。あとはto have been quite trueだけで文が終わりますから、この文は全体として「AとBがまったく正しかったことがわかった」という内容を伝えているとまとめることができます。

なお、turnsにはsがついていて、単数主語を受ける形になっているのは、**そこまでの主語ふたつをひとまとまりにとらえたから**と考えられます。ここでsなしのturnを使ってもまちがいではありません。

訳出にあたっては、前半の**whom I told you of last night**の部分が、その女に会ったのと異なる時点の話をしていて、そのままくっつけて訳すと混乱を招きかねないので、その部分を切り離したり、そこで文を分けたりして、わかりやすく表現するほうがいいでしょう（訳文参照）。

最後に、この文全体の図解を載せます。

What the half-drunken woman［whom I told you of last night,］said to me (S_1), when I tried to see him and obtain a week's delay;

and **what［I thought］was a mere excuse to avoid me** (S_2);

turns out (V) to have been quite true.

⑫ even though we were not, it would be a bad fortune indeed to find so merciless a creditor in his successor

後半で仮定法が使われていることに注意して、わかりやすい日本語にしてください。

答 もし間に合わなかったとしても、あれほどまで情け知らずの人間が引き継ぐなんてことは、よほど運が悪くないかぎりありえない

後半の**it would be**以下をそのまま訳すと、「仮にあれほどまで情け知らずの債権者が引き継ぐとしたら、大変運が悪いことになる」となります。それでも意味がわからなくはありませんが、喜んでいる感じが伝わりにくいので、裏返しの形で訳してみました。

なお、**so merciless a creditor**のところでは、第6講の⑨でも説明したとおり、**強調のsoのあとには形容詞・副詞しかつづけられない**ので、**a**の前に**merciless**が出た形になっています［➔P. 159］。**such**を使えば、**such a merciless creditor**の語順になります。

場面を深くていねいに読みこんでいくことが大事

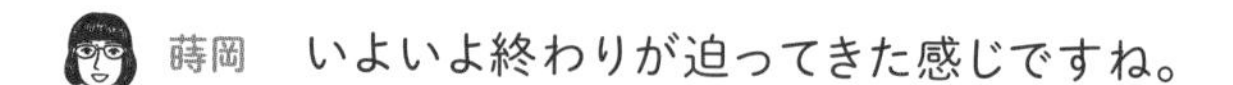

蒔岡　いよいよ終わりが迫ってきた感じですね。

藤島　でも、ここではまだ、「あの人」の正体はわからない……ことになってるんですよね。

沖田　スクルージにとってはね。話を進めるためのお約束って感じ？ちょっとじれったい。

越前　読者のだれもがとっくに知ってるけど、スクルージだけが気づいてないわけだ。うすうす感づいてはいるだろうがね。読者を登場人物より少し優位に立たせるというのは、物語の手法としてなかなか巧みだと思うよ。

藤島　なるほど。そういう分析のしかたもできるんですね。作者の思うつぼってわけですか。

沖田　で、思ったんですけど、この夫婦はだれなんでしょうか。もし自分がお金を貸してる相手なら、スクルージも見覚えがあるだろうし、だったら、あの人の正体がスク――

越前　いちおうネタバレになるから（笑）、その先は言わないことにしよう。

藤島　次回のお楽しみですね。

越前　そうしよう。この夫婦はここが初登場で、その男から借金をしてるおおぜいのなかのひと組だろう。**未来の話だから、現時点ではスクルージも知らない人物**なんじゃないかな。

蒔岡　それでつじつまが合いますね。その夫婦のことで、ひとつ質問です。④と⑤のあいだの **He sat down to the dinner that had been hoarding for him by the fire;** についてです。先生の訳だと「夫は、冷めないよう火のそばに置いてあった夕食の前に腰をおろした」となっています。「冷めないよう」については、火のそばに置いてあった理由はそうにちがいないから、そのように補うのは納得できましたけれど、夫と食卓と夕食の位置関係に自信がありません。食卓が暖炉のすぐ前にあるのか、それとも食事を暖炉の前から移動したのかとか、この夫はどこにすわったのかとか、考えたらわけがわからなくなってしまいました。どうなんでしょう。

沖田　わたしはここ、なぜ奥さんがいっしょに食べないのかと不思議でした。先にひとりで食べちゃったの？

藤島　ぼくはそのどちらともちがって、①でdaylightと言ってるのに、ここではdinnerと言ってるんで、おかしいなって。

越前　みんな、細かいところをよく読んでるなあ。蒔岡さんの質問について言えば、この英語を読むかぎり、椅子の位置は暖炉のそばであってもなくてもいいと思う。どうとでもとれる。あたためた食べ物を動かしてもいいんだからね。

沖田さんの質問には困ったな。子供が何人かいるようだから、子供といっしょに食べたんじゃないか。

藤島くんの質問について言うと、いちおう**dinnerは夕食以外の食事を指すこともありうることば**だ。昼食をたっぷり食べる場合はdinnerと言えないこともない。ただ、3段落目の最初にAt lenghやlong-expectedと書いてあるから、**最初は昼だったけど、何時間も経って夕方になった**と考えるのが自然じゃないかな。それで筋が通る。

みんな、深いところまで読みこむようになったのはいい傾向だよ。もう作者に尋ねようがないから、答は出ないけどね。ただ、**小説の翻訳をやってると、作者が気づいてもいなかったところまで深読みすることがたびたびある**。そこまで考えないと自信を持って訳せないんだ。

沖田　だんだん、そういうのが癖になってきた気もします。すごくおもしろいです。

イタリック表現はどんなふうに訳すといい？

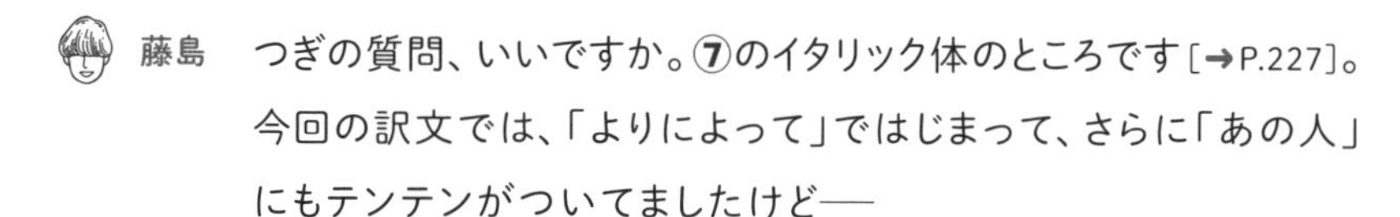
藤島　つぎの質問、いいですか。⑦のイタリック体のところです［➔P.227］。今回の訳文では、「よりによって」ではじまって、さらに「あの人」にもテンテンがついてましたけど――

蒔岡　傍点ね。

藤島　その、傍点がついてましたけど、たとえばこの前の第８講だと、20行目に“**At least you always tell *me* so.**”って台詞があって、訳例は「あなた、いつもわたしにはそう言ってる」でした。第３講の①では傍点つきです。傍点がつくときとそうじゃないときと、どんなふうに見分けるんでしょうか。

越前　なるほど。イタリックは強調以外で使われることもあるけど、そのことはとりあえず脇に置こう。強調の場合だけをとっても、どこがどう強調されてるかによって、傍点の処理でうまくいくときといかないときがあるんだ。第８講のその例だと、イタリックになってるのは**me**だけど、前後関係から考えると、むしろ**you**のほうを強くしたほうがいいくらいだから、そんなふうに処理したんだ。ほかにも、いわゆる **It ... that ...** の強調構文（分裂文とも言う）を訳すときみたいに、倒置っぽく処理したほうがしっくりくる場合もある。**機械的に「イタリック＝傍点」と覚えるんじゃなくて、全体としての効果を考えて、いちばんふさわしい日本語を考えよう**ってわけだ。

沖田　わたしは⑨ではじまる段落について教えてください。３行目の

she said soは、実際になんと言ったと考えればいいんでしょうか。それと、つぎの行のwas sorryは「ごめんなさいと言った」という意味にはなりませんか［➜P.220］。

越前　she said soのほうは、thankfulであることを表すことばならなんでもいいんじゃないかな。「ざまあみろ」は言いすぎだけど、「最高!」ぐらいは小さな声で口走ったかもしれない。気兼ねする相手がいない場面だからね。

藤島　「ざまあみろ」って、英語でどう言うんですか。

沖田　"Fuck you!"よ。

越前　こらこら。そう言わないこともないだろうけど、それだと意味が広すぎるな。

蒔岡　"See what happens!"あたりでしょうか。

越前　そうだね。この女性がこの文脈で言うなら、"［It］Serves him right."あたりかな。自業自得とか、因果応報とか、そんな響きがある。

沖田　was sorryのほうはどうですか。

越前　「ごめんなさいと言った」も「お気の毒にと言った」も筋が通ると思うよ。ここは**スクルージの視点**でもあることを考えると、「気の毒に思った」や「後悔した」というのはあまりよくないかな。スクルージから見える表情や動作、あるいは聞こえる発言をしたととるのが自然だ。

手ごわかった…連鎖関係代名詞節!

越前　みんな、⑪の文は正しく読めたかな［➜P.229］。

藤島　ぼくは降参しました。

沖田　わたしは、これまでの講義や勉強会で**カンマとセミコロンのちがい**を何度も教わってたんで、セミコロンふたつが大きな切れ目だろうと考えたら、比較的早くわかりました。訳し方はどうしたらいいか困りましたけど。

藤島　ぼくは説明を読んでも、その連鎖関係代名詞節ってやつがどうもよくわかりませんでした。ぼくはwhat I thought was a mere excuse to avoid meを「ぼくが考えたことは、ぼくを避けるための単なる口実だった」と読んで、それではぜんぜん意味が通らなくてあきらめたんですけど、この読み方はどこがまちがってるんですか。

越前　いい質問だ。それと同じまちがいをする人はすごく多いからね。
　藤島くんの読み方の場合、what I thoughtを主語、wasをそれに対する述語動詞と見なしてるわけだね。解説にも書いたとおり、関係代名詞のwhatはthe thing thatに相当する。じゃあ、what I thoughtが「ぼくが考えたこと」だとして、「ぼくはthe thingを考えた」を英語で言うとどうなる？

藤島　えーと、the thingを後ろにまわせってことですよね？ I thought the thing. それでいいですか？

越前　I thought the thing. というのは変な文だと思わないか。ふつう、thoughtのあとに何かはいるんじゃないかな。

藤島　あ、そうか。I thought of the thing. だ。

蒔岡　I thought about the thing. でもいいですよね。

越前　ofにせよ、aboutにせよ、何か前置詞が必要だ。ということは、I thought the thing. なんて文はそもそも不自然だから、もとの読み方がまちがってるということになる。

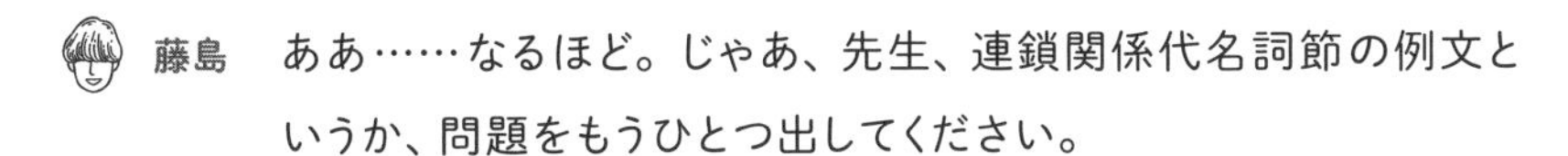

藤島　ああ……なるほど。じゃあ、先生、連鎖関係代名詞節の例文というか、問題をもうひとつ出してください。

越前　いいよ。whatじゃなくてthatやwhoを使った文も作れるんだ。これはどうかな。

The man who I thought was honest proved to be a murderer.

藤島　わたしが思った男……じゃなくて、わたしが正直だと思った男は、殺人者だと判明した。

越前　正解。

沖田　これ、**関係詞がwhomじゃなくてwho**だってことが、よく入試に出るんですよね。

越前　そうだね。**I thoughtとくっつくんじゃなく、wasとつながることを考えれば、関係詞は当然、主格のwho**ということになる。

蒔岡　先生、同じ個所でもうひとつ訊きたいんです。ここで出てくるhalf-drunken womanって、だれのことですか。

越前　この夫婦と同じで、こっちもはっきりはわからない。この個所の少し前で、スクル……いや、その男が死んだときに近くにいたと思われる女性がふたり登場するんだけど、そのどちらかなのか、どちらでもないのか、決めようがない。

沖田　人が死にそうだってときに、酔っぱらいながら面倒を見てるなんて、ひどすぎる。びっくりです。

越前　だれからも愛されない男だったことの証明じゃないかな。

藤島　もうひとつだけ、最後から2行目についての質問です。We may sleepのmayを、ぼくは「かもしれない」と訳したんですけど、そういう意味じゃないんですか、先生の訳は「眠れる」になってますけど。

 越前　助動詞のmayには大きく分けてふたつ意味があるよね。推量（～だろう、～かもしれない）と許可（～してもいい）だ。ここは心配の種がなくなったんだから、mayの意味は許可で、「今夜は安心して眠っていい」のほうが流れに合う。ぼくは「眠れる」と訳したけど、このmayは現代のアメリカならcanと言うところだろうから、無意識のうちにそっちに寄せた訳し方をしたんだ。本質的にほとんど意味は変わらないから、もちろん「眠っていい」としてもかまわないよ。

『クリスマス・キャロル』

こぼれ話

さて、ここまでまったく言及しませんでしたが、この作品のタイトル『クリスマス・キャロル』とはどういう意味でしょうか。

クリスマス・キャロルというのは、特定のひとつの歌のことではなく、イエス・キリストの誕生をクリスマスに祝う歌の総称です。キャロルというのはキリスト教の祝歌・聖歌全般のことですが、現在ではクリスマス・キャロルのことを指す場合がほとんどです。

クリスマス・キャロルは中世のヨーロッパ、特にイギリスで盛んに歌われました。その後、宗教改革によって質素な生活習慣が奨励されるようになり、クリスマスを祝うことが少なくなると、クリスマス・キャロルも廃れましたが、19世紀に復活します[「こぼれ話1」参照➜P.62]。

代表的なものとしては、日本でもよく知られる〈聖しこの夜(Stille Nacht, heilige Nacht、英語では Silent Night, Holy Night)〉、〈クリスマスおめでとう(We Wish You A Merry Christmas)〉、〈もろびとこぞりて(Joy to the World)〉などがありますが、〈赤鼻のトナカイ(Rudolph the Red-Nosed Reindeer)〉や〈ジングルベル(Jingle Bells)〉など、20世紀にはいってから広まったクリスマス・ソングまでもクリスマス・キャロルと見なすかどうかは意見が分かれるところらしく、明確な線引きはできないようです。

『クリスマス・キャロル』の作中でクリスマス・キャロルということばが出てくるのは2回だけで、どちらも今回のあらすじには載せていません。

1度目は、スクルージがふたりの紳士が寄付を求めるのをはねつけたあと(あらすじ9ページ 14〜18行)、事務所にいるときに、外にいたひとりの少年がドアの前でクリスマス・キャロルを歌って喜ばせようとします。スクルージが憤然とそこへ近づくと、少年はすぐに逃げ出します。

『クリスマス・キャロル』
こぼれ話

9

2度目は、スクルージが過去の精霊とともに子供時代の楽しい出来事を見ていたとき（あらすじ11ページ 1〜5行）、少し前にクリスマス・キャロルを歌っていた少年のことを思い出し、冷たくしたことを反省していると精霊に告げる場面です。

最初の場面で、少年はこう歌いはじめます。

God rest you merry gentleman!

May nothing you dismay!

これは当時最もよく知られていたクリスマス・キャロルのひとつ〈世の人忘るな〉の冒頭部分で、スクルージはこれを聞いて、けんもほろろに少年を追い返しますが、それはこの曲が施しを求めるときによく歌われていたからです。

2番目の場面では、強欲なスクルージがはじめて自分のこれまでの素行を反省します。つまり、〈世の人忘るな〉は、ティム坊やや甥フレッドと並んで、スクルージを改心へ導く重要な要素だったというわけです。

Lecture

10

第10講

The Spirit stood among the graves, and pointed down to One. He advanced towards ①it trembling. ②The Phantom was exactly as it had been, but he dreaded that he saw new meaning in its solemn shape.

05 "Before I draw nearer to that stone to which you point," said Scrooge, "answer me one question. ③Are these the shadows of the things that Will be, or are they shadows of things that May be, only?"

Still the Ghost pointed downward to the grave by

10 which ④it stood.

"⑤Men's courses will *foreshadow certain ends, to which, if *persevered in, they must lead," said Scrooge. "But if the courses be departed from, the ends will change. ⑥Say it is *thus with what you show me!"

15 The Spirit was *immovable as ever.

Scrooge crept towards it, trembling as he went; and following the finger, ⑦read upon the stone of the neglected grave his own name, EBENEZER SCROOGE.

"*Am *I* that man who lay upon the bed?" he cried,

20 upon his knees.

The finger pointed from the grave to him, and back again.

死んだ男の名前を知りたがるスクルージを、未来の精霊は墓場へ連れていきます（あらすじ16ページ 27行〜17ページ 7行）。下線部①〜⑪について、問いに答えてください。

① 何を指しているでしょうか。

② わかりやすい日本語にしてください。

③ 大文字ではじまるWillとMayの対比がはっきりわかるような日本語にしてください。

④ 何を指しているでしょうか。

⑤ わかりやすい日本語にしてください。うまくいかなければ、2文に分けてもかまいません。

⑥ withの意味に注意して、日本語にしてください。

⑦ 倒置によって、upon... graveの部分が前に来ているのはなぜでしょうか。

［注釈］

L.11 **foreshadow** 〜の予兆となる、〜を事前に示す　L.12 **persevere** 〜を頑なにつづける

L.14 **thus** そういうわけで、ここまで述べたとおり　L.15 **immovable** 動かない

L.19 **Am *I* that man who lay upon the bed?** スクルージは少し前に、死体安置所のベッドに横たわった男の前まで連れていかれたが、顔を見ることができなかった。

“No, Spirit! Oh no, no!”

The finger still was there.

25 “Spirit!” he cried, tight *clutching at its robe, “hear me! I am not the man I was. I will not be the man I must have been *but for ⑧this *intercourse. ⑨Why show me this, if I am past all hope?”

For the first time the hand appeared to shake.

30 “Good Spirit,” he pursued, as down upon the ground he fell before it: “⑩Your nature *intercedes for me, and pities me. Assure me that I yet may change these shadows you have shown me, by an altered life!”

The kind hand trembled.

35 “I will honour Christmas in my heart, and try to keep it all the year. I will live in the Past, the Present, and the Future. ⑪The Spirits of all Three shall strive within me. I will not shut out the lessons that they teach. Oh, tell me I may *sponge away the writing on this stone!”

⑧ 具体的には何のことでしょうか。

⑨ 前回も出てきたpastの用法に注意して、日本語にしてください。

⑩ わかりにくい文ですが、interceDeがここでどういう意味で使われているかを考えて、日本語にしてください。

⑪ shallの使い方に注意して、日本語にしてください。

[注釈]

L.25 **clutch** 強くつかむ　L.27 **but for** 〜がなければ　**intercourse** 交流、交わり

L.31 **intercede** 仲介する、取りなす　L.39 **sponge away** ぬぐい去る

精霊は墓石のあいだに立って、そのなかのひとつを指さした。スクルージは震えながら①**そこ**へ近づいた。②**精霊の様子はこれまでとまったく変わらなかったが、そのおごそかな姿から新たな意味が感じられて、恐ろしかった。**

「あなたが指しているその墓へ、これ以上近づく前に」スクルージは言った。「ひとつ教えてもらいたい。③**これまでのあれこれは、定められた未来の影なのか、単に起こりうる未来の影なのか、どっちだろうか**」

精霊は相変わらず④**自分**の足もとの墓石を指している。

「⑤**人の進む道の先には、なんらかの結末がある。ふるまいを改めなければ、かならずそこへ行き着く**」スクルージは言った。「でも、その行路をはずれて、ちがう道を進んだら、結末も変わるはずだ。⑥**これまで見せてもらったものについてもそうだと言ってください！**」

精霊は不動の姿勢を崩さない。

スクルージはまた体を震わせ、おぼつかない足どりで墓へ近づいた。そして、精霊の指の先、⑦**だれからも忘れ去られた墓石の上に、ほかならぬ自分の名前が刻まれているのを見つけた――“エベニーザー・スクルージ”**。

「おれだったのか、あのベッドの死体は」スクルージは大声で言い、ひざまずいた。

精霊の指先が墓からスクルージへと移動し、また墓へもどった。

「やめてくれ、精霊殿！ そんな、そんな！」

指はじっと墓を指したままだ。

「精霊殿！」スクルージは叫び、精霊の衣にしがみついた。「聞いてください！ おれは心を入れ替えました。⑧**ここまでの導き**がなければなっていたはずの男には、けっしてもどりません。⑨**まったく望みが残されていないなら、なぜこうやって未来を見せてくださるんですか**」

精霊の手がはじめて震えたように見えた。

「心やさしき精霊殿」その足もとの地面にひれ伏して、スクルージは懇願した。「⑩**あなたは心の底で、おれに救いの手を差し伸べ、憐れんでくださっている。**生き方を一変させれば、いまならまだ、これまで見てきた影を変えることができると、どうかおっしゃってください！」

情け深い手が小刻みに震えた。

「クリスマスをこの胸で大切に敬い、その気持ちを1年じゅう忘れません。過去、現在、未来のために生きます。⑪**3人の精霊殿を、自分のなかでしっかり生きつづけさせます。**あなたがたの教えをけっして忘れません。この石に刻まれた文字を消すことができると、どうかおっしゃってください！」

① it

何を指しているでしょうか。

答 One（墓石のひとつ）

前文のOneはgraves（墓石）のひとつのことで、大文字ではじまっているのは、いよいよ死んだ男の正体がわかる特別な墓石だからでしょう。

まぎらわしいのは、墓石は当然itで受けますが、精霊もまた、ここまで一貫してitで受けてきたので、どちらなのかを文脈から見きわめなくてはいけないということです。

ここは精霊が墓石を指さした直後ですから、スクルージが歩み寄った先は墓石だと考えるのが自然です。

② The Phantom was exactly as it had been, but he dreaded that he saw new meaning in its solemn shape.

わかりやすい日本語にしてください。

答 精霊の様子はこれまでとまったく変わらなかったが、そのおごそかな姿から新たな意味が感じられて、恐ろしかった。

前半のitはThe Phantom（精霊）を指します。

exactly as it had beenは、「精霊はこれまでとまったく同じだった」と訳せば問題ありませんが、正確に言うと、場所が同じ（動かなかった）ではなく、**様子が同じ**（見かけや姿が同じ）ということです。場所が同じであれば、**exactly where it had been**となるべきです。

後半の**new meaning**（新たな意味）がどんな意味なのかは、いろいろ考えられます。死んだ男の正体をいよいよ告げるということで、一気に厳粛さが増したのかもしれません。

③ Are these the shadows of the things that Will be, or are they shadows of things that May be, only?

大文字ではじまるWillとMayの対比がはっきりわかるような日本語にしてください。

答 これまでのあれこれは、定められた未来の影なのか、単に起こりうる未来の影なのか、どっちだろうか。

theseはここまで未来の精霊によって見せられてきた「ある男」の悲惨な末路を指します。shadowsは「影」ですが、スクルージが見たさまざまな「映像」や「幻」と言い換えてもいいでしょう。

WillとMayのちがいは、要するに**「確定した未来」か「確定していない未来」か**ということですから、それが際立つような対照的な訳し方ならなんでもかまいません。「なるはずの」「なるかもしれない」の組み合わせや、「きっと起こる」「起こりうる」の組み合わせなどでもOK。ここはイタリック体ではありませんが、強調するという意味では同じなので、わたしは傍点をつけました。

もちろん、スクルージはこの男の正体をうすうす感づいていて、Mayのほうであることを望んでいます。

④ it

何を指しているでしょうか。

答 the Ghost（精霊）

これも①と同様、精霊か墓かで混乱するかもしれませんが、the grave which it stoodは「それが立っているそばの墓」ですから、itはgraveであるはずがなく、the Ghostを指すと断定できます。

⑤ Men's courses will foreshadow certain ends, to which, if persevered in, they must lead,

わかりやすい日本語にしてください。うまくいかなければ、2文に分けてもかまいません。

答 人の進む道の先には、なんらかの結末がある。ふるまいを改めなければ、かならずそこへ行き着く。

Menは、この文脈では「男たち」ではなく、**人間全体**を指しています。

前半を直訳っぽく言うと「人の進む道は、ある**ends**を予兆する」ですから、この**ends**は「目的」より「結末」のほうが筋が通ります。簡単に言えば、人の運命は決まっているということです。

後半の**to which**以下では、**they**が指すのは前半の主語の**Men's courses**。**persevered in**は、「頑なにそのままでいる」でもいいのですが、ここは前後関係から考えて、**ends**を変えられるものなら変えたいと言いたいはずですから「ふるまいを改めなければ」としてみました。

前半を言ったあと、**to which**以下を付け加える形（非制限用法、叙述用法などとも言います）ですから、後ろから前へひっくり返って訳すと焦点がぼけます。**前から後ろへ、場合によっては2文に分けて訳すほうが意味が正確に伝わります。**

⑥ Say it is thus with what you show me!

withの意味に注意して、日本語にしてください。

答 これまで見せてもらったものについてもそうだと言ってください！

thusは前文、あるいはその前の⑤の文からの内容全体を指しています。

この**with**は**「関連・関係」を表す前置詞**で、**about**に置き換えてみるとうまくいくことが多く、「〜について」「〜に関して」「〜に対して」あたりの訳語があてはまります。**What's the matter with you?**（きみ、どうしたんだ）や**I helped John with his homework.**（ジョンの宿題を手伝ってあげた）などがこの用法にあてはまりますが、訳し方はさまざまです。

⑥の文では「〜について」と訳すのがぴったりです。最後の**what you show me**は動詞が現在形ですが、「これまで、そしていまも見せてもらっているもの」というとらえ方でいいでしょう。

⑦ read upon the stone of the neglected grave his own name, EBENEZER SCROOGE

倒置によって、**upon... grave**の部分が前に来ているのはなぜでしょうか。

答 スクルージの名前の墓碑銘を最後にまわして強調し、劇的な効果をあげるため。

ふつうの語順なら**read his own name, EBENEZER SCROOGE, upon the stone of the neglected grave**となるところですが、ぎりぎりまで引っ張って、いちばん重要なスクルージの名前を最後にまわしています。このような倒置は、日本語でも同じように見られますね。

倒置の形を見つけたとき、**なぜ順序が変わっているかをよく考えると、一段深い読みとりができる**ことがあります。理由としては、この例のように何かを強調したい場合や、前後の文との関係を強めたい場合が多いです。

⑧ this intercourse

具体的には何のことでしょうか。

答 3人の精霊とともにいろいろな場所へ出向いたこと

「この交流」ですから、未来の精霊とのやりとりだけとも考えられますが、ここまで3人の精霊とともに過ごした体験がスクルージの心を大きく変えたので、そちらととるほうがよさそうです。

⑨ Why show me this, if I am past all hope?

前回も出てきたpastの用法に注意して、日本語にしてください。

答 まったく望みが残されていないなら、なぜこうやって未来を見せてくださるんですか。

第9講の⑦と⑧にもあったとおり、このpastは前置詞で、「(影響などが) 及ばない」「(限度などを) 超えて」という意味です。今回の**I am past all hope**は、自分にまったく(救われる) 望みがないことを表しています。

前半の**this**は、この墓だけでなく、未来の精霊が見せてきたすべてでしょうが、過去・現在の精霊が見せたものも含まれていると考えることもできます。

⑩ Your nature intercedes for me, and pities me.

わかりにくい文ですが、interceseがここでどういう意味で使われているかを考えて、日本語にしてください。

答 あなたは心の底で、おれに救いの手を差し伸べ、憐れんでくださっている。

natureはいろいろな訳語がありえますが、ここでは「本性、本質」あたりがぴったりです。

intercedeは「仲立ちをする」が基本の意味で、ここではスクルージと何 (あるいはだれ) との仲立ちをするかを考えてみるといいでしょう。絶対の正解があるわけではありませんが、「神」「人生の真実」「改心の境地」などの答が考えられ、そこから少し応用して「救いの手を差し伸べ」と訳しましたが、「手助けし」「うまく計らい」ぐらいでも問題ありません。

⑪ The Spirits of all Three shall strive within me.

shallの使い方に注意して、日本語にしてください。

答 3人の精霊殿を、自分のなかでしっかり生きつづけさせます。

striveはとりあえず「奮闘する」とでも訳しましょう。

問題になるのは**shall**で、これをふつうの**will**と同じ単純未来と見て、「奮闘するだろう」と解釈できなくもないのですが、ここはスクルージが強い気持ちで改心を宣言している場面なので、意志未来(話者の意志)の**shall**と考えるとぴったりです。

この**shall**を使った代表的な例文として、

You **shall** die.（おまえを殺してやる）

Shall he go?（彼を行かせましょうか）

などを見たことがある人は多いでしょう。形の上では**you**や**he**が主語ですが、どちらも**話者(I)の意志をそこに介在させる**形です。現在のアメリカ英語ではあまり見ませんが、やや古めのイギリス英語ではかなり見かける形です。

⑪の文も、**the Spirits**の意志というより、これを語っているスクルージ(I)の決意が語られていると考えるほうが自然で、少々ぎこちないのですが、訳例のような意味となります。

Lecture 10 ［講義を終えて… より深く読むための勉強会］

だんだん英語がやさしく思えてきた

沖田　やっとわかりましたね、死んだ男の正体。

蒔岡　スクルージ以外のだれもがとっくに知っていた正体。

藤島　この当時の読者は最後まで気づかなかったんでしょうか。

越前　そんなことはないと思うよ。ただ、いまのきみたちみたいに冷めた目で読む人は少なかったはずだけど。

藤島　**最後の範囲、これまでよりも英語がやさしく感じました。**

蒔岡　**力がついたってことじゃない？**

沖田　そうよ、そうよ。

越前　そのとおりだと思う。もちろん、話の流れが頭にはいっていて、予想しやすいからというのもあるけどね。

沖田　英語そのものより、結局何を言ってるのかがよくわかんなかったところはありましたね。②の new meaning はなんなのかとか。

藤島　ぼくはそこでいよいよ精霊が何か言うのかと思ったんですけど、だまったままでしたね。今回の範囲のあとでも、何も言わないんですか？

越前　このあと数行で、未来の精霊の出番は終わるんだ。一言も発しないままでね。

沖田　だとしたら、今回の最後に手を震わせたのが、すごく大きな意味があるってことですよね。

藤島　それで思い出しました。⑨のすぐあと、**For the first time the hand appeared to shake.** という文がありますよね［➜P. 244］。ぼくはスクルージの手を握ったのかと思ったんですけど、それはちがうんですね。

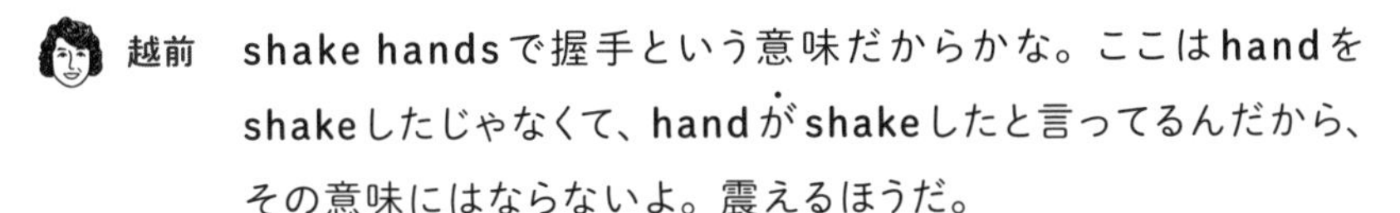

越前　shake handsで握手という意味だからかな。ここはhandをshakeしたじゃなくて、handがshakeしたと言ってるんだから、その意味にはならないよ。震えるほうだ。

蒔岡　そこでちょっと気になったんですけれど、精霊の手はそこでshakeして、その5行あとでtrembleするんです。shakeは比較的大きな揺れ、trembleは小さな揺れだから、順序が逆なのではないかと思いました。少しずつ心を揺り動かされていくはずだから。

越前　shakeの前にはappeared toがあるから、それで弱められてるんじゃないかな。ぼくは特に違和感を覚えなかった。

藤島　そう言えば、この前の仮定法現在、さっそくまた出てきましたね。⑤と⑥のあいだの But if the courses be departed from, the ends will change. [→P. 242] このとき、後半はwouldじゃなくてwillなんですか。

越前　完全に事実の裏返しをするんじゃないから、would でも will でもいいんだ。たぶん would になるケースのほうが多いな。

藤島　イタリック体の強調もまた出てきました。⑦のあとの“Am *I* that man who lay upon the bed?”って台詞です。先生の訳では「おれ」に傍点がついてました。

越前　「おれだったのか、あのベッドの死体は」という訳文だけど、ここは傍点なしで倒置だけにしてもじゅうぶん強調の意味合いが伝わると思うよ。ただ、ここは物語のクライマックスだから、ちょっと大げさでもいい。

沖田　英文に「死体」ということばはないですよね。

越前　それも劇的にするために入れたんだよ。ここは「ガーーン！」という感じを出したくて。

沖田　先生、その「ガーーン！」って言い方、古いです（笑）。

藤島　（小声で）賛成。

蒔岡　えっ、そうなの？ わたしも使いそう。いまはどう言えばいいの？

沖田　「ぴえん」とか……。

越前　う〜ん、そうか。翻訳者としては、そういうところをつねにアップデートしなきゃいけない気持ちが半分と、どんなときも流行に左右されない、揺るぎない表現を心がけたい気持ちが半分だな。まあ、「ぴえん」がこの先何年使われるかはわからないしね。「ガーーン！」はけっこう長持ちしたんじゃないかな、何十年かわからないけど。「ガチョーン」は──

蒔岡　もうやめましょう、先生。形勢不利ですし。

越前　わかった、わかった。ただ、古い言いまわしを意図的に使って、訳文を豊かにできることもあるんだ。いずれにせよ、**世代によってことばがどんなふうに使われてるのかには敏感になっている必要がある**。

「同時性のas」はよく出てくる表現のひとつ

沖田　時代によって変わると言えば、⑪の意志未来の**shall**［➔P.253］。大学受験のころは覚えなくていいと言われたんですけど、やっぱり覚えなくちゃだめですか。

越前　文学作品を深く読みたいんだったら、必要だね。この**shall**を使ってる人は古くからの上流階級に属する可能性が高いとか、そういう見分け方もできるし。

蒔岡　関係あるかどうかわかりませんけど、shallが義務を表すことがありますよね。

越前　ああ、契約書や法令の文章ではそのshallが多いね。ぼくは古英語のことはよく知らないけど、**shallのもとになったscealは義務の意味が強くて、その名残らしい**。shallの過去形であるshouldがその意味になるのも、そこから来てるんじゃないかな。

藤島　ちょっと話が飛びます。⑩の前の文でhe pursued, as down upon the ground he fell before it:とあって、意味はだいたいわかるんですけど、文の作りがよくわかりませんでした。特にasのあたり[➔P.244]。

越前　down upon the groundをいったん後ろにまわせばわかるんじゃないかな。最後のitはGood Spiritを指してて、「精霊の前で、地面に崩れ落ちて」だ。

藤島　で、asは？

越前　「〜ながら」かな。**前後の出来事が同時に起こっていることを表すas**は、かなり多いよ。**わかりにくいときは「同時性のas」じゃないかと考えてみる**と、ぴったりあてはまることがけっこうある。

蒔岡　今回の訳文全体のことで質問させてください。スクルージは精霊に向かって、最初のほうは「〜もらいたい」とか、「です・ます」を使わずにしゃべっていますけれど、途中から敬語に変わります。これはどういう意図でそうしたんですか。

越前　どういう意図だと思う？

蒔岡　精霊のことがだんだんこわくなって、ていねいにしゃべらざるをえなくなった感じを出すためですか。

越前　そんなところだね。改心する以上は、日本語なら、どこかの段階でていねいにしゃべるようになるのがふつうだ。問題は、どこで切り替えるか。現在の精霊のあたりで口調を変える手もあったんだけど、なんだかんだ言っても、スクルージはしぶとく悪態をついたりしてるから、**完全に陥落する場面ぎりぎりまで引っ張ってきた**わけだ。ほかの人の訳書だと、最初の過去の精霊と出くわした場面からていねいにしゃべってるものもある。

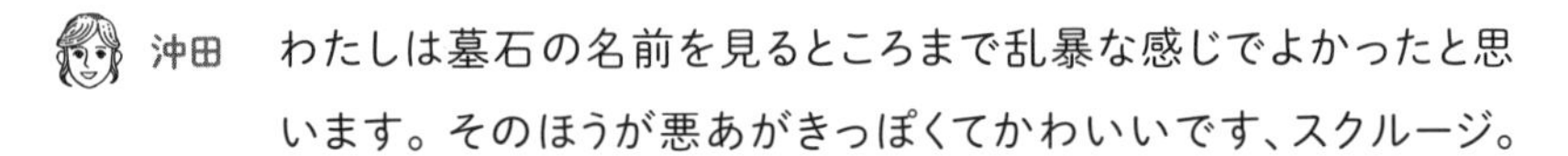

沖田　わたしは墓石の名前を見るところまで乱暴な感じでよかったと思います。そのほうが悪あがきっぽくてかわいいです、スクルージ。

藤島　久しぶりに出ましたね、樹梨亜さんの「かわいい」。

10回の講義と勉強会を終えて…

越前　さて、これで10回に及ぶ『クリスマス・キャロル』勉強会は終わりだ。それぞれに感想を言ってもらおうか。

沖田　その前に、第6講のあとで、「また別のときに話そう」とおっしゃったことについて教えてください。

越前　なんだったっけ。

沖田　インチをインチのまま訳すのと、センチに換算して訳すのと、どっちがいいのかって話です。翻訳とは何かという大きな問題とも関連するって。

越前　そうそう、忘れるところだったよ、ありがとう。つまりね、翻訳ではつねにふたつの点について考えなきゃいけないんだ。

- **原著者の意図や海外の事物・習慣を忠実に紹介する。**
- **母語の習慣や考え方に寄り添って、わかりやすく表現する。**

英米の人たちはいまもフィートやインチを使って暮らしてるんだから、それをそのまま生かすべきだというのが上の考え方。

読むのは日本語話者で、日本ではメートルやセンチがあたりまえなんだから、そっちにそろえようというのが下の考え方。正解がどちらと決めることはできないし、現実には程度に応じて上を選んだり下を選んだり、ときには真ん中を選んだりもするんだ。

そして、この問題は翻訳にかぎった話じゃない。そもそも、われわれが海外の文化、たとえば文学作品に接するときにも、それぞれに対応するふたつの楽しみ方がある。それは

- **自分やその周囲と異なるものから刺激を受ける。**
- **自分やその周囲と似たようなものに共感する。**

というふたつだ。『クリスマス・キャロル』で言えば、キリスト教の伝統とか、プディングのたとえとか、新しいことを知って楽しむのが前者。スクルージの改心の経過をじっくり観察して楽しむのが後者。海外のすぐれた文学作品には、その両方の魅力が詰まってる。**ぼくが翻訳という仕事を20年以上つづけてきたのは、大人にとっても子供にとっても視野を広めてくれる作品をひとりでも多くに読んでもらいたいからだ**。もちろん、原文の細やかなニュアンスまで読みとれる人は原書で読めばいいし、みんなにもそうなってもらいたいと思うけど、そのレベルに楽に到達できる人はそう多くない。この勉強会をやろうと考えたのは、**英文を深く読みこむおもしろさと、翻訳作業によって見えてくるもののおもしろさの両方を体験してもらいたかった**からだ。この先、語学力を強化することにも、読書の深さと幅を広げていくことにも、少しでも役立ってくれたらいいと思う。

さて、あらためて感想を聞こうか。

「こんなにおもしろいとは思っていませんでした」

蒔岡　最初の回に言ったように、わたしは子供向けの『クリスマス・キャ

ロル』は読んだことはあって、あらすじは知っていたのですが、オリジナルがこんなにおもしろいとは思いませんでした。作者がときどき顔を出してくるところなんか、はじめはとまどいましたけれど、だんだんそれが楽しみになってきて。あとはやっぱり、人物の描き方がうまいなあ、と。それぞれが演じるべき役割をきちんと演じているから、起伏のあるドラマがわかりやすく頭にはいってくるんですよね。

テーマについては、シンプルだけど、いろいろわが身を振り返って考えさせてくれる作品でした。**人生のどのタイミングで読むかで、たぶんぜんぜんちがった受け止め方になるはず**で、それもこの作品のすぐれた点だと思います。

英文読解と翻訳については、ふだん接している現代の作品とは勝手がちがうこともいくつかありましたけれど、**見慣れない言い方になればなるほど、結局のところ、文法の知識が必要だと痛感しました**。調べ物の大切さについても同じです。

沖田　京子さん、わたしなんかと次元のちがうレベルで辞書やネットを調べていらっしゃって、翻訳を仕事でやろうという人はそこまで必要なんだなって、すごく勉強になりました。

藤島　ぼくもです。手抜きすると、先生だけじゃなくて、蒔岡さんにも怒られそうな気がして。

蒔岡　そんなことないのに～。わたしのほうこそ、自分にはない物の見方を知ることができて、とても刺激になりました。こういう機会を与えてくださって、みなさん、ありがとう。

「人物が目の前に生きてるみたいに感じました」

沖田　つぎはわたしですね。えーっと、まずは「かわいい」ばかり連発してごめんなさい（笑）。実を言うと、最初にあらすじを読んだとき、なんだかお説教くさい話で、ほんとうにおもしろいのかなって、不安だったんです。

ところが、読みはじめてみると、すっごく英語はむずかしかったんだけど、ひとりひとりの人物像がすっごく個性的で、夢中になっちゃって。スクルージはもちろん、ティムも甥のフレッドもボブ・クラチットも、マーリーさえも、**なんだか目の前に生きてるみたいで、楽しかったです**。

あと、わたしは翻訳じゃなくて英文和訳しかやった経験がなかったんですけど、これまでは単語の意味と文の構造さえわかればそれでよかったのに、翻訳というのは、原文の雰囲気を考えながら、読者が読みやすいようにいろいろ工夫しなきゃいけないんで、大変だなと思いました。

単語や熟語だけじゃなく、時代背景や文化なんかも、先生や京子さんの影響でいっぱい調べるようになったら、作品そのものを何倍も深く楽しめるようになった気がします。『クリスマス・キャロル』の原文全部も、ディケンズのほかの作品も、ぜひ読んでみます。感謝してます！

越前　みんなには見せなかったけど、この勉強会では、3人に10回ぶん全部の訳文を書いてきてもらって、説明するうえでの参考にしたんだ。もちろん、全体としては蒔岡さんの訳文がいちばんよくできてたけど、沖田さんはときどき、原文の特徴を生かした大胆な処理をしてきて、びっくりしたよ。**的はずれのこともあったけど、うならされるほどうまいこともあった。**いろいろと訳文で冒険してみるのはいいことだよ。工夫して訳そうとすることで、原文の読みとりは否が応でも深くなるんだから。

藤島　ぼくの訳文はどうでしたか。

越前　正直なところ、最初はボロボロで、どうなることかと心配したんだけど、回を重ねるごとに、正確に読みとれてる部分が増えていった。質問も鋭くなったしね。3人のなかで語学力がいちばん向上したのは、まちがいなく藤島くんだ。

蒔岡・沖田　（大きくうなずく）

藤島　よかった、ありがとうございます。じゃあ、ぼくの感想を。

「1語、1文字のちがいで意味が変わっちゃう」

藤島　はじめはわからないことだらけだったんですけど、予習してるうちにいろんなことに気づきました。まず、**それまでは大ざっぱな意味がわかればいいやと思ってたのが、1語のちがい、1文字のちがいでぜんぜん変わっちゃうんだなって**。

　あとは、そう、いまさらだけど、もっと本を読まなきゃな、と思いました。仮に文法がわかっても、表面の意味がわかるだけで、結局何を言ってるかわからないことが多かったんで。

越前　本を読むなら、**英語の原書、もともと日本語で書かれた本、翻訳書の3種類をバランスよく読むことをお勧めするよ**。翻訳を勉強中の人の場合はもちろんだけど、そうじゃなくて、とりあえず英語力を強化したい人にとっても、そうだ。

藤島　どうしてですか？

越前　現実には、英語だけよくできる人とか、日本語だけ得意な人なんてのは、ほとんど存在しない。**言語に対する鋭い感覚というのは、母語と外国語のあいだを行き来して、その共通点や相違点に気づくことによって養われていく**場合が多いんだ。

読解力をつけるのにお勧めの原書は?

 沖田　原書を読むとして、どんな本がいいですか。

 越前　長続きさせるためには、自分が興味を持てるジャンルのものがいいね。スポーツでもファッションでもゲームでもなんでもいい。ただ、ゆっくり時間をかけて深いところまで読みとる訓練をしたいなら、やっぱり文学作品がいちばんだ。入門としてひとつお勧めできるのは、**映画やドラマの原作**だね。今回みたいに、先にあらすじを頭に入れて読むことができるから、少しばかり英語がむずかしくても読破しやすい。逆に、映画やドラマをもとに書かれたノベライゼーションでもいいけどね。

 沖田　わたしのレベルだと、どんなのがいいですか。

 越前　ちょっと英語はむずかしいけど話のおもしろさで一気に読めるものか、逆に英語は比較的やさしいけど内容はけっこう歯応えがあるものか、どっちかだろうね。

　前者は、今回の『クリスマス・キャロル』もそうだけど、あとは**オー・ヘンリーやナサニエル・ホーソンの短編**なんかはどうだろう。ミステリーが好きだったら、たとえば、最近評価が高い**アンソニー・ホロヴィッツ**(**『カササギ殺人事件』『メインテーマは殺人』**など)は、長いけど夢中になって読めるからお勧めだな。

　後者では、**カズオ・イシグロ**がいいんじゃないかな。日本が舞台となっている作品(**『遠い山なみの光』『浮世の画家』**)からでもいいし、話がわかりやすくて映像化もされてる**『わたしを離さないで』**や**『日の名残り』**からでもいい。

 蒔岡　わたしへのアドバイスはありますか。

 越前　ときどき言ってることだけど、結局のところ、翻訳を上達させるには、翻訳するしかない。あえて付け加えれば、質と量の両方を

考えることじゃないかな。**一筋縄ではいかないような英文を、1ページあたり何時間もかけて訳す**訓練と、**あまり引っかかるところがない英文を1日に10ページぐらい訳す**訓練と、並行してやるといいよ。

沖田・藤島 1日10ページも!?

越前 翻訳を仕事にするんだったら、そのぐらいのペースでできる必要があるんだ。もちろん、すぐにできなくてもいいけどね。これも慣れだから。

蒔岡 先生が訳していらっしゃる作家の作品では、どれがむずかしいとかやさしいとかいうのはありますか。

越前 **ダン・ブラウン**(『ダ・ヴィンチ・コード』『オリジン』など)は、英語そのものはかなりやさしいけど、調べ物がほかと比べて桁ちがいに大変だ。ただ、ページをめくる手が止まらなくなるほどの作品ばかりだから、多読の訓練にはぴったりだね。

エラリー・クイーン(『Yの悲劇』『エジプト十字架の秘密』など)は、ずいぶんまわりくどい書き方なんかもするから、英語はけっこう骨がある。読むなら、ゆっくり時間をかけて取り組んでもらいたいね。

最近多く訳してる**マイケル・ロボサム**(『生か、死か』『天使と嘘』など)は、文体に特徴があって、全作の地の文が現在形だ(ふつう、小説の地の文は過去形で書かれるんだけど)。それに慣れれば、英語は標準レベルかな。人物造形もプロットもうまいから、飽きないと思う。

スティーヴ・ハミルトン(『解錠師』『氷の闇を越えて』など)は、ひとつのセンテンスが短くて、一見やさしそうな英語なんだけど、ハードボイルド特有の皮肉な言いまわしがすごく多いから、最初はとまどうかもしれない。ただ、文学作品の読みとりには、多かれ少なかれ、そういう要素が付きまとうから、中級レベルの人に勧めるとしたら、ハミルトンがいちばんかもしれない。

沖田　じゃあ、わたしは『解錠師』を読んでみます。なんだか胸がキュンキュンしそうな話だし。

越前　沖田さんにぴったりの作品だ。

藤島　ぼくは短いのがいいから、オー・ヘンリーの**「賢者の贈り物」**か**「最後のひと葉」**かな。

越前　そのふたつだと、「最後のひと葉」のほうが少しやさしいね。でも、「賢者の贈り物」は『クリスマス・キャロル』と同じで、**語り手がひょこひょこ顔を出してくる**から、そこがおもしろい。比べてみてもいいかもしれない。

今回の勉強会は、語学力のレベルがちがう3人を集めて、どんなところで引っかかるかとか、どんなふうに意見が分かれるかとかを知りたくてはじめたんだ。自分にとっても、みんなにとっても、ちがいを知ることで理解が深まった部分はきっとあると思う。

蒔岡　またやりましょうよ、こういうの。

沖田　賛成！

藤島　ぜひぜひ。あ……できれば、ぼくの大学受験が終わってからにしてください。

越前　今回の勉強会の内容が、大学受験に役立つといいね。すぐ使えるものもあるけど、どちらかと言えば、**英文への向き合い方とか、長い目で見て効果があるもののほうが多い**かもしれない。

沖田さんにとっても蒔岡さんにとっても、じわじわ役立ってくるはずだ。

とにかく、3人のこれからに期待してるよ。

蒔岡・沖田・藤島　ありがとうございます！

『クリスマス・キャロル』
こぼれ話

最後に、『クリスマス・キャロル』という作品の特徴を整理してみましょう。

まず、なんと言っても、人物が生き生きと描かれていることです。スクルージはもちろんのこと、マーリーと3人の精霊、そして重要な脇役である甥フレッド、ボブ・クラチット、ティム坊やらは、シェイクスピアの作品の登場人物と並んで、イギリス人ならだれもが知るキャラクターであり、その後の文学作品やあらゆる種類の創作に影響を与えています。

心のひねくれた人物が徐々に変わっていくというシンプルなストーリーは、古今東西の人々の心を揺さぶる「ツボ」を押さえていますが、ともすれば図式的すぎて現代では疎んじられかねないにもかかわらず、いまも年末のエンタテインメントの定番として、全世界の人々の心をとらえているのは、何よりもキャラクターの魅力に負うところが大きいでしょう。とりわけ、スクルージがほんとうに悪人なのかどうかを見きわめる手がかりが全編にちりばめられていて、読者をけっして飽きさせません。

描写力ということでは、人物造形だけでなく、鮮やかな映像を喚起させる記述もまた特筆すべきものです。映画の黎明期に、現代の劇映画の礎とも呼ぶべきモンタージュの技法（視点の異なるいくつかのイメージを組み合わせて、ひとつのシーンを作りあげる方法）を確立したふたりの巨匠、D・W・グリフィスとセルゲイ・エイゼンシュテインは、どちらもディケンズの小説をくわしく研究したと言われています。『クリスマス・キャロル』では、たとえば第10講の後半で、うずくまるスクルージと手を震わせる精霊とを交互に描くところなどは、映画のカット割りを想起させます。

そして、作中の描写は、視覚だけでなく、聴覚や嗅覚など、あらゆる感覚に強烈に訴えかけます。この本ではくわしく紹介できませんでしたが、クラチット家で料理やデザートがつぎつぎ出てくる場面や、スクルージが改心してからのテンポのよい文章などを、ぜひ読んでみてください。

もうひとつの特徴は、この本でも再三採りあげたとおり、不思議な語り手がたびたび顔を出してきて、ときにユーモラスでときに辛辣な口調で読者に語りかけることです。スクルージが精霊たちに導かれて時空を飛び越えていく話の合間にそれが差しはさまれるため、読者は夢と現実のはざまを漂う物語を語り聞かされている気分になるでしょう。第1講の勉強会でも紹介したとおり、これは朗読にぴったりの作品で、読者の心の奥底にまで響く「肉声」が宿っています。執筆から200年近く経ったいまも、世界じゅうで読み継がれている最大の理由はそれなのかもしれません。

また、当時の権力への強烈な反骨精神も随所に見られます。貧困にあえぐ人たちへ向けられた作者のあたたかい視線は、物語の早い段階から、スクルージの視線と少しずつ重なっていき、やがて完全に同化します。『クリスマス・キャロル』は明快なエンタテインメントでありながら鋭い批判的精神に富んだ作品として、いまも世界じゅうの人たちに読まれています。みなさんもぜひ、あらためて通読してみてください。

参考にした資料など

この本全体で使った訳文は、『クリスマス・キャロル』(ディケンズ、越前敏弥訳、角川文庫)から転載したものですが、設問や解説の都合上、変更した個所がいくつかあります。
そのほか、参考にした著作は以下のとおりです。

『クリスマス・キャロル』チャールズ・ディケンズ、井原慶一郎訳・解説、春風社

『クリスマス・キャロル』ディケンズ、中川敏訳、集英社文庫

『クリスマス・キャロル』ディケンズ、池央耿訳、光文社古典新訳文庫

『クリスマス・キャロル』ディケンズ、脇明子訳、岩波少年文庫

『クリスマス キャロル　クリスマスのゆうれいの話』
チャールズ=ディケンズ、こだまともこ訳、講談社青い鳥文庫

『『クリスマス・キャロル』前後』梅宮創造訳著、大阪教育図書

『ディケンズの眼──作家の試行と試練』梅宮創造著、早稲田大学出版部

『ディケンズ文学の闇と光　〈悪〉を照らし出す〈光〉に魅入られた人の物語』島田桂子著、彩流社

『翻訳の授業　東京大学最終講義』山本史郎著、朝日新書

『ディケンズ鑑賞大事典』西條隆雄、植木研介、原英一、佐々木徹、松岡光治編著、南雲堂

『ディケンズ小事典』松村昌家編、研究社出版

Charles Dickens' A Christmas Carol: The Complete Story Adapted for Modern Readers (Jennifer George)

***Oxford Literature Companions: A Christmas Carol* Workbook**
(Carmel Waldron, Peter Buckroyd, Oxford University Press)

The Annotated Christmas Carol (Michael Patrick Hearn, W.W. Norton & Co. Inc.)

Christmas and Charles Dickens (David Parker, AMS Press)

Dickens and Christmas (Lucinda Hawksley, Pen & Sword)

以下のサイトにある論文も参考にしました。(URLは2021年10月現在のものです)

ディケンズ・フェロウシップ日本支部
http://www.dickens.jp

『クリスマス・キャロル』の生と死　道家英穂
http://www.dickens.jp/archive/cb/carol/carol-doke.pdf

ディケンズの『クリスマス・キャロル』を読む　宇佐見太市
https://www.kansai-u.ac.jp/fl/publication/pdf_department/22/15usami.pdf

『クリスマス・キャロル』の亡霊　梶山秀雄
http://www.dickens.jp/archive/cb/carol/carol-kajiyama.pdf

Dickensの作品における口語文法──動詞、代名詞、形容詞、副詞、前置詞、間投詞
吉田孝夫
http://www.dickens.jp/archive/philology/p-yoshida-8.pdf

おわりに

10回に及ぶ英文解釈講義と勉強会、どんな手応えだったでしょうか。

日本人の多くにとって、一生のなかで英文の読解力が最も高いのは大学受験の直後である、というようなことが以前からよく言われてきました。わたし自身も、学習塾や予備校講師などを経て翻訳の仕事に携(たずさわ)るという人生を送っていなければ、そのようになっていたかもしれません。最近は少し状況が改善されたのかもしれませんが、せっかく大学受験の時期に英文読解の基礎をかなり体系的に学んだのに、それをその後の人生にしっかり役立てていく人が少ないのは、とてももったいなく、残念なことです。

そのように痛感していた人たちは、教える側にも学ぶ側にも多かったらしく、数年前から『ヘミングウェイで学ぶ英文法』(アスク出版)や『英文解体新書』(研究社)をはじめ、ワンランク上の読解力をつけることをめざす本格的な学習書がつぎつぎ出版され、多数の読者の支持を得るようになりました。とてもうれしいことです。文芸翻訳者として、わたしもそういう趣旨で何か題材を提供できる機会がないかと考え、NHK出版の人たちといっしょに検討したところ、思いついたのが『クリスマス・キャロル』を題材とした学習書でした。中上級の語学学習者にとって必要な訓練は、文芸翻訳の学習者に求められるものと重なり合う部分がかなり多いので、そのあたりをていねいに深めていけば、ほかに類を見ないタイプの学習書ができるのではないかと考えたのです。

準備にあたって、ディケンズや『クリスマス・キャロル』のことを調べる作業はとても楽しいものでした。しかし、それ以上に楽しく充実していたのは、原稿作成の土台とするために翻訳学習者・大学生・高校生のグループとそれぞれ5回おこなったオンライン勉強会でした。ひとりひとりの訳文を熟読したり、質疑応答をつづけたりするなかで、数えきれないほどたくさんの学びが自分にとってもあったものです。

すでにお気づきのかたも少なからずいらっしゃるでしょうが、本書の「勉強会」パートでの3人の生徒とのやりとりは、伊藤和夫先生の名著『ビジュアル英文解釈』(駿台レクチャー叢書)の“Home Room”の楽しい趣向を拝借したものです。蒔岡さん、沖田さん、藤島くんは、オンライン勉強会に参加した20名前後の熱心な受講生を混成した架空のキャラクターですが、この本を書き終えたいま、3人の将来を応援したい気持ちがますます強まっています。そして、読者のかたが3人のどの立場に近いのであれ、この本が今後の語学学習や文学作品の読み解きになんらかの形で役立っていくことを強く祈っています。

この一風変わった学習書の企画・執筆・制作を全面的に支えてくださったNHK出版のみなさんに大変感謝しています。そして、オンライン勉強会の参加メンバー、そのメンバーを紹介してくださった先生がた、そのほかにも書き進めるにあたってお世話になった人たちのお名前は以下のとおりです。この場を借りてお礼を申しあげます。

浅野皓生、江口静香、越前香桜里、小川真奈、尾林啓紀、金永亜、倉科顕司、後藤稔、小原美穂、柴山紗愛、鈴木遥香、武居ちひろ、田端智実、塚本恭子、津島健人、豊嶋駿介、長岡亜生、長岡大熙、橋本渚沙、廣瀬麻微、山路千夏、吉村涼花（50音順、敬称略）

2021年10月中旬
178年前のこの時期に『クリスマス・キャロル』の執筆を開始した
チャールズ・ディケンズに思いをはせながら

越前敏弥

著者
越前 敏弥 えちぜん・としや

文芸翻訳者。1961年、石川県金沢市生まれ。東京大学文学部国文科卒。学習塾経営、留学予備校講師などを経て、文芸翻訳者に。主な訳書に『オリジン』『ダ・ヴィンチ・コード』『Yの悲劇』(以上、KADOKAWA)、『解錠師』『十日間の不思議』(以上、早川書房)、『不吉なことは何も』(東京創元社)、『世界文学大図鑑』『世界物語大事典』(以上、三省堂)、『おやすみの歌が消えて』(集英社)、『ストーリー』(フィルムアート社)など多数。著書に『翻訳百景』(KADOKAWA)、『文芸翻訳教室』(研究社)、『日本人なら必ず誤訳する英文・決定版』(ディスカヴァー・トゥエンティワン)、『「英語が読める」の9割は誤読』(ジャパンタイムズ出版)など。現在、朝日カルチャーセンターで文芸翻訳講座などを担当するほか、オンラインも含めた各地での読書会を精力的にこなす。

装丁・イラスト atelier yamaguchi
本文デザイン 堀田 滋郎、加藤 裕子 (hotz design inc.)
校正 円水社
音声吹き込み Steven Ashton
音声編集 曽雌 宏樹 (宇田川スタジオ)
編集 彌永 由美・伊藤 大河

NHK出版 音声DL BOOK
越前敏弥の英文解釈講義 『クリスマス・キャロル』を精読して上級をめざす

2021年11月25日 第1刷発行
2022年 1月30日 第2刷発行

著者 越前敏弥

発行者 土井成紀
発行所 NHK出版
〒150-8081 東京都渋谷区宇田川町41-1
TEL 0570-009-321(問い合わせ)
TEL 0570-000-321(注文)
ホームページ https://www.nhk-book.co.jp
振替 00110-1-49701
印刷・製本 図書印刷

ISBN978-4-14-035174-1 C0082